當代思維
與視野

主編：張桓忠

作者：李本燿、吳正男、林武佐、陳銘傑、林春福、李孟娟、賴靜瑩

麗文文化事業

■ 國家圖書館出版品預行編目（CIP）資料

當代思維與視野 / 張桓忠主編. — 初版. — 高雄市：
麗文文化, 2015.09
　　面；　公分
ISBN 978-957-748-617-2(平裝)

1.言論集

078　　　　　　　　　　104013870

當代思維與視野

初版一刷 · 2015 年 9 月　初版二刷 · 2016 年 9 月

主編	張桓忠
作者	李本燿、吳正男、林武佐、陳銘傑、林春福、李孟娟、賴靜瑩
責任編輯	林瑜璇
發行人	楊曉祺
總編輯	蔡國彬
出版者	麗文文化事業股份有限公司
地址	80252高雄市苓雅區五福一路57號2樓之2
電話	07-2265267
傳真	07-2264697
網址	www.liwen.com.tw
電子信箱	liwen@liwen.com.tw
郵撥	41423894
購書專線	07-2265267轉236
臺北分公司	新北市永和區秀朗路一段41號
電話	02-29229075
傳真	02-29220464
法律顧問	林廷隆律師
電話	02-29658212

行政院新聞局出版事業登記證局版台業字第5692號

ISBN 978-957-748-617-2（平裝）

麗文文化事業

定價：250元

思維決定作為　視野導致差別

「當代思維與視野」是中臺科大二技班制的通識教育必修課程，本課程的目標與特色在從人文思維與自然科技等不同面向，以當代議題做為引子，進行蒐集資料、分析思辯，並統整報告、分享，藉以養成觀察、分析、理解、思辨的能力，以培養當代思維與視野。本書《當代思維與視野》即本課程的教材，作者是本課程的任課教師們。

環環相扣的課程－教材－教法－評量像一條龍，「當代思維與視野」有了課程和教材之外，再加上以接龍方式授課的老師們就教法與評量的費心設計與分工合作，定能裨益修課同學在學習、生活與工作各層面的思維與視野。

崇尚思維(或思考)的愛因斯坦（Albert Einstein）曾說：「世界的開創是遵循著我們的思維而進展，如果我們不改變思維，世界就不會改變。」你我要有怎樣的世界和改變，有賴動心轉念。而在生理上既聾又盲的海倫凱勒（Helen Keller）曾說：「世界上最可憐的人是有視力沒視野。」「有視力沒視野」相當於「有眼睛沒眼光」或「有文藝沒器識」等等。所以，有人說「思維決定作為，視野導致差別」。我們一輩子都需要積極正向的思維和多元開闊的視野，才能創新改善，有所作為。

這是一本協助二技同學們活化思維、開拓視野的教材。本人除對老師們的辛勤撰寫教材致敬和申謝之外，也祝福同學們學習成功！

中臺科技大學校長　李隆盛

2015 年 8 月

反省思維・多元視野

　　教育，正在「翻轉」。嘗試從過去的「守經達變」，改變成翻轉學習，不管怎麼翻？或翻到哪？教育，總要不失其核心的價值與目標；翻轉之前與之後，見仁見智，各有其解，但其變與不變之間，都可以從當代思維與視野來審視觀察。

　　中國北宋晚期，蘇軾（1037-1101）遭貶，由黃赴汝，經過九江，遊覽廬山，觸景思靈，云詩：「橫看成嶺側成峰，遠近高低各不同；不識廬山真面目，只緣身在此山中。」在西方工業革命興盛的時代，英國狄更斯（Charles John Huffam Dickens, 1812-1870）卻在《雙城記》中，以法國大革命的巴黎為背景，書寫變動時代中的諸多矛盾，他說：「那是最好的時代，也是最壞的時代；是智慧的時代，也是愚蠢的時代；是信仰的時代，也是懷疑的時代……；我們正走向天堂，我們也走向地獄。」

　　無論蘇東坡的即景說禪，或是狄更斯對法國大革命的相對觀點，都是他們經過不斷思辨、反省，內蘊冶煉的境界與觀察。對議題的思辨、現象之觀察，無論在翻轉教育之前、之後，皆是大學之道。本校通識教育以「內省與關懷、人文與思維、創意與表達、科學與邏輯」為重要的指標，為此，規劃二技必修課程「當代思維與視野」。本書由主要任課教師群共同執筆，提出議題引子，除做為課前閱讀、課堂討論外，也由於每篇議題都具當代性，同學可與正在發生的重大事件進行比對、分析，進而詮釋、論述。

　　本書曾在民國95年（2006年）刊行，然而，當代議題瞬息萬變，經過任課教師共同努力，重新擬定議題、終於付梓刊行。在翻轉教育的當代，透過當代議題、思辨分析，豐厚學生人文思維、內省關懷之能力。

中臺科技大學人文暨通識教育學院院長　徐惠麗

2015 年 8 月 10 日

目錄

第一章

李本燿

「人本關懷」：
當代思維的碁石

學習重點

1. 自從 21 世紀以來，人類遭遇哪些來自大自然與人為因素的破壞與挑戰？何以「人本關懷」是 21 世紀「人類地球村」發展之主流價值？

2. 人人須本「忠恕」精神，尊重多元文化、落實「地球村人文素養」、講究「崇他服務精神」，恢宏當代思維與視野，為當今人類必備的共識與責任。

3. 人人須建立社區關懷服務學習知能，實踐志工臺灣未來國際化應有的胸懷。

壹、當代思維與視野利基於「人本關懷」

「人本關懷」為 21 世紀「人類地球村」發展之主流價值，然而諸多人性沉痾如自私自利、偏見忌妒、兇殘搶奪等劣質行為亟待借重教育力量移風易俗、去蕪存菁、長保善念，讓地球村永續繁榮發展。故推動「優質專業」與「人本關懷」，以落實「地球村人文素養」、講究「崇他服務精神」，恢宏其當代思維與視野，為當今人類必備的共識與責任。

一、21 世紀「地球村」人類「天涯若比鄰」

當資訊網路瞬間把全世界鏈結起來；當衛星科技轉眼將地球與外太空星球拉近；當歐元緊步美元之後流通多國已成歐陸各國共同貨幣，人類已然實現「天涯若比鄰」願景。自此，人與人之間的互動已打破傳統定位為族群與國家之單位觀念，進而形成種族融合、世界大同的「地球村」時代來臨。「社區」已不再侷限蕞爾村里框架範圍；相反地，整個人類發展勢必透過語言溝通、物流共享、文化交流、生活互動、制度同整等多重軌道，形成共存共榮的大地球村邁進。

二、「地球村大社區」不幸面臨新挑戰

然而，人類優質行為尚未全面顯揚之際，人性劣質沉痾部分如自私、偏見、忌妒、佔有、殘暴、掠取等行徑卻已破壞了「地球村大社區」文明生活所建立的公共秩序。自從 21 世紀以來，人類遭遇來自大自然與人為破壞因素的挑戰果真不勝枚舉，其重大者略舉如下：

其一為：2001 年「911 紐約世貿大樓恐怖攻擊事件」首度將戰火帶進一向甚少受戰火波及並號稱世界警察的美國本土，在瞬間恐怖攻擊摧毀了雙子星大廈並奪去五千餘人命，從此改變了美國全球戰略佈署與人類生存價值的迷思與重估。

其二就我國而言，發生在 1999 年的「921 集集大地震」，車籠埔斷層引發大地摧枯拉朽、山崩地裂，一夜間無數家園在瓦礫殘堆中蕩然無存，死傷遍野；其後，中國四川、日本、智利、南亞海嘯、尼泊爾等地均發生七級以上大地震，其中以 2011 年 3 月 11 日 14 時 46 分日本福島大地震為例，引發海嘯與核能發電廠輻射外洩等嚴重危機，導致家毀人亡無數。此乃大地對人類長久以來不斷破壞大自然的反撲，其嚴重尤甚於風災過境土石流帶來之傷害。

圖 1　（油畫作者：李本燡教授）　　圖 2　（油畫作者：李足新教授）

其三為根據世界衛生組織（WHO）宣佈，SARS 疫情自 2002 年 11 月大陸廣東省已有 305 例原因不明的肺炎發生，接著迅即蔓延向地球村大社區擴大流行，到了 2003 年 4 月 14 日，在中國大陸、香港、新加坡、越南、加拿大、臺灣等 23 個遭感染的國家中，這個名為「嚴重急性呼吸道症候群」（Severe Acute Respiratory Syndrome，簡稱 SARS）的新型肺炎，已造成高達 3,169 例的疑似病例，死亡人數並達 144 人。自此以降，諸多區域性疾病常伴隨著國際間海陸空便捷的交通無孔不入地擴散各地，構成全人類重大的生命威脅。世界衛生組織於 2012 年 9 月公佈全球第一例中東呼吸症候群冠狀病毒感染症（Middle East respiratory syndrome coronavirus [MERS-CoV]）病例，已在沙烏地阿拉伯、約旦、卡達、英國、德國、法國等國陸續發現確診病例，嚴重國家如南韓則出現可能人傳人的群聚感染事件。血清學研究顯示多數當地駱駝曾感染該病毒，加上部分個案曾有駱駝接觸史，顯示駱駝為人類感染 MERS-CoV 之潛在感染源。

其四為長久以來大陸與臺灣關係緊張，由於兩岸制度差異、統獨較勁、暗潮洶湧，嚴重考驗兩岸人民互信與感情；加上國內政黨輪替，選舉傾軋帶來族群撕裂的紛擾與政經危機，導致人心不安、社會脫序、亂象層出。再再衝擊「地球村大社區」之均衡與和諧發展。類似上述四例所衍生之地球村重大公共議題，如何因應以防患於未然？最需人類開闊視野、形成共識，透過當代思維縝密之邏輯辯證，以建立完善之思想體系，引領地球村人類與大自然界共存共榮，以臻長治久安之境。

三、「忠恕之道」為「人本關懷」主軸

在人類文明發展史上，東西方古聖先賢早已為人類進步、社會發展提供諸多優良見解。米開朗基羅於 1510 年在梵諦岡（Vatican）西斯汀禮拜堂拱頂裝飾畫「生命的誕生──《創世紀》」，說明上帝

創造亞當（**The Creation of Adam**）即展現神愛世人，揭櫫生命與尊重人權的可貴。

圖 3 「生命的誕生──創世紀」米開朗基羅，1510BC
（圖片來源：維基百科 https://upload.wikimedia.org/wikipedia/commons/7/73/God2-Sistine_Chapel.png，屬公有領域合理使用）

　　以至聖先師孔子為例，他強調「里仁為美，擇不處仁，焉得知。」（見《論語》〈里仁篇〉）孔子認為居家環境應選擇具有仁厚風俗之鄉里社區為佳，以此類推，世界各國和平相處，宛如風俗淳厚之地球村再現，亦為〈禮運大同篇〉之實踐。孔子又說：「君子無終食之間違仁，造次必於是，顛沛必於是。」（見《論語》〈里仁篇〉）意指一個人不管位處富貴或貧賤，均依仁道而行，此仁道就是人與人之間互信互愛、互相關懷、互相尊重之道。「貧而樂，富而好禮」應是仁德行為極致表現。至於仁道之意何所指？〈里仁篇〉記載曾子曰：「夫子之道忠恕而已矣！」何謂「忠」？盡己之謂忠，推己之謂恕；就現代人而言，忠於良心和職守、忠於父母和妻子、忠於自己的社區，此乃獨善其身，亦即《大學》所稱：誠意、正心、修身、齊家，是內聖的功夫；何謂「恕」？儒家強調行有餘力須推己及人，兼善天下，此乃「恕道」、「利他、愛人」之表現，亦即治

國、平天下之意，是「外王」的功夫。就今日社會而言，人人對社區展現關懷，關懷之道無他，須本「忠恕」精神待人接物。首先就獨善其身而言，借「知止而後有定，定而後能靜，靜而後能安，安而後能慮，慮而後能得」的功夫，以「定、靜、安、慮、得」之修己功夫去蕪存菁，再把握做事原則：「物有本末，事有終始，知所先後，則近道矣。」（見《大學》首章）此道即「忠恕」之道也。亦即在社區活動中不斷學習別人的優點，促進社區和諧，與人為善。子曰：「見賢思齊焉，見不賢而內自省也。」（見〈里仁篇〉）如此方能實現「大學之道，在明明德，在親民，在止於至善」的理想。綜上所述儒家「里仁為美」與「社區關懷」互動圖如下：

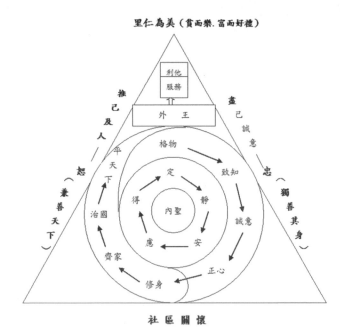

圖4　儒家「里仁為美」與「社區關懷」互動圖

四、「人本關懷」增強當代思維與視野

　　面對全球知識經濟時代來臨，我們的教育需以多元化、人性化、科技化、國際化、本土化、民主化等方式推動「人本關懷」，營造共存共榮命運共同體的「地球村大社區」，以關懷代替對立、以仁愛化解仇恨、以和平自由消弭戰爭暴行。要達到這些目的則必須從教育著手，尤其亟需建立「人本關懷」完整的理論架構，從而落實到「社區服務」的過程中，催化人性互助合作的亮點，凝聚共存共榮的力量。在紛紛擾嚷功利掛帥、唯利是圖的今日世界，如何重整道德，闡揚仁愛精神，發揮「人本關懷」功能，扭轉物化社會自私自利頹風，人性化教育已成今日世界教育主流；**兩性平等，已成普世價值——兩性從交往、擇偶到婚姻生活，彼此均須抱持不斷的學習與成長，才能共創幸福人生。**

圖 5　兩性平等已成普世價值
（油畫作者：李本燿教授）

　　近 20 年來，臺灣在這物質文明、工商掛帥的繁榮表象下，政府應正視：老兵凋零，眷村老化，昔日堅毅勇忍之精神，如今又有誰去重視？

圖 6　老兵凋零‧精神長懷？（油畫作者：李足新教授）

　　臺灣原住民與農村青年大量流失往都市集中，至於鄉村所剩勞動人口均呈現高齡化趨勢！又將用何種對策去改善，以防止繼續惡化。

圖 7　正視臺灣農村弱勢族群──勞動人口普遍高齡化
　　　　（油畫作者：李足新教授）

　　由於長期照護及粗重勞動人力不足，加上工資昂貴，所以政府引進無數的廉價外勞在臺灣家庭幫傭或業界做粗活；各地高樓聳立，猶如雨後春筍；縱貫高鐵、北高捷運、雪山隧道、東西快速道路連結一高和二高；這些險峻工程每天都以驚人的進度推進並且

——克服困難，終至順利完工，其中最重要的勞工幾乎都依賴來自越南、菲律賓、印尼、泰國等地的外勞。再加上來自上述四國與中國大陸的外籍新娘，以日益增多的人數融入臺灣的家庭社會中，共構異國婚生家庭；這些外來人口進入臺灣社會後，除了產生正向地貢獻及多元豐富的文化色彩外，也產生了許多社會問題及隱藏在天地暗角處的辛酸和苦楚。這些現象都值得政府及人民共同關注，亟待透過立法、教育、就業及身心輔導，及早幫助他們融入並適應臺灣的社會。

　　「人本關懷」扶助對象與內容，林林總總，首應把握有限資源及運用寶貴人力，共創社區永續繁榮，故在「服務取向」上必有先後順序、主從配套措施之取捨。自 2000 年以來，我國政府強調「本土化、社區化、在地化」為國家建設主軸，並透過行政院各部會推動「社區總體營造」致力於社區健康生活及文化創意產業之營造，並培訓社區人士為種子志工，其實都以「人本關懷」為導向，活絡社區人士身心健康，展現社區產業與生命之能量，創造知識經濟附加價值。所以「志工培訓、終身學習」就成為「當代思維與視野」的關鍵因子。

圖 8　老有所終？配合長期照護法之實施，應積極推動社區健康
　　　總體營造，培育長照志工，方可降低高齡化社會老人獨居
　　　無助之困境（油畫作者：李本燿教授）

綜合上述，地球村大社區實踐「人本關懷」主要在探討下列問題：

（一）認知地球村大社區弱勢人民生活實況。

（二）認知天災人禍對人類的影響。

（三）尊重生命，提升人道關懷的普世價值。

（四）認知國際公益團體與志工之精神與運作。

（五）認知國際志工無國界服務的過去、現在、未來發展。

（六）提升對社區關懷及服務學習的認知、態度與人文藝術素養。

（七）建立服務學習具體作為上的分析、方法及能力。

（八）幫助學生具備：分析志工臺灣未來國際化應有的準備與作為。

觀看齊柏林・劉克襄《鳥目臺灣》的問題與反思

（一）「節能・減碳・綠建築」已成文明生活所共同追求的目標。以屏東原住民「石板屋」符合就地取材式綠建築為例，「綠建築」須花大錢？

（二）日本人八田羽一採自然工法建造「烏山頭水庫」連結「嘉南大圳」，至今嘉惠嘉南平原廣大民眾。相反地，「石門水庫」以水泥砌壩築堰，至今泥沙淤積，每逢颱風大雨則須急速洩洪，影響下游臺北市、新北市安全至鉅。

試問：建造水庫對周遭環境與社會又有哪些影響？試舉實例以明之。

（三）河川是都市溼地廊道，由於愛河整治污水工程成功，帶動高雄市夢想起飛。

試問：哪一座城市有像高雄愛河一樣整治污水工程成功，帶動城市夢想起飛？

（四）臺北山水環抱，為風水寶地；可惜綠色資源被政治、經濟、交通發展所壓縮。

試問：臺北應如何朝「綠色城市」規畫，強化「慢活綠色資源」，重新找回百年前綠色城市光環？

（五）從日本的地震海嘯引發福島核電外洩、貢寮的核四電廠爭議看來，核能電廠像不定時炸彈；所以，臺灣應建構如風力發電、太陽能等既便宜又安全的「綠能產業」，而又如何不破壞環境生態？這些問題值得深思與探討！

（六）日月潭早已發展成觀光人潮與錢潮湧進之地，自然生態受到嚴重破壞。清境農場早已是充斥違建、髒亂、水土流失等弊端，要如何挽救呢？

試想：有效的對策在哪裡？

＊參考資料

史蒂芬‧史匹柏（導演、監製）（1993）。《辛德勒的名單》。美國：環球影業。

齊柏林（攝影）、劉克襄（文字）（2013）。《鳥目臺灣：齊柏林空拍紀錄短片＋攝影文集》。臺北：行人文化實驗室。

劉榮凱（導演）（2010）。《臺灣憨孩子》。

課後心得

課後心得

第二章

李本燿

驅策原鄉文化生活美學

學習重點

1. 何謂「文化創意產業」？它為何是帶動 21 世紀世界文明進步、經濟再起飛的主流？

2. 「原鄉文化」驅策「文創產業」發展，為何須以「全球思考、在地行動」的宏觀視野去發想？

3. 發掘、盤整與建構「時尚原鄉文化生活美學」的基底元素，是臺灣發展「文化創意產業」特色、邁向國際化的顯影劑。

壹、「全球思考、在地行動」行銷「文化臺灣」

21 世紀是一個以創新為主的知識經濟時代，文化創意產業促進觀光發展、經濟起飛。以「全球思考、在地行動」的宏觀視野去發想，為行銷「文化臺灣」，藉由文化創意企劃與行銷機制發展良性的「兩岸互惠與世界文化交流」，以凸顯臺灣的多元文化特色與創意。據此思維並擴大其視野，被各界視為一項具有突破性的文化創意企劃顯影劑，並且有助於帶動臺灣文化與世界交流觀光熱潮、促進經濟效益、推展國際行銷等附加價值（陳郁秀，2006）。

一、再創臺灣經濟升級新契機

邁入 21 世紀，科技的發展對人類生活與工作造成重大影響，也改變了全球的經濟型態。知識經濟時代已經來臨。所謂知識經濟意指在經濟活動中，無形的知識取代有形的物質成為創造財富的基礎。知識經濟的特質是一種資源，也可以代表一種附加價值。透過創發、應用與擴散，知識的價值得以增加，也為社會創造了更多財富。在這個過程當中，大量的知識工作者成為生產的主力（張一蕃，2005）。知識經濟展現在「文化創意產業」上，其成就則不可以千里計。

　　研究全球化的學者都指出，世界愈是進入國界模糊時代，地方特色的重要性愈高。同時，「文化產業」的世界潮流方興未艾，可以預見地方文化特色和文化產業這兩股趨勢合流。文化資產將是臺灣最重要的「名片」，足以向全世界說明「我是誰」，同時也是下一波產業發展的「原料庫」、「基因庫」（陳郁秀，2006）。

　　1900 年世界博覽會在巴黎舉行，金碧輝煌的巴黎大、小皇宮博物館和亞歷山大三世橋，都是這次展覽會留下的紀念物。就在那次展覽會，北歐的丹麥已經展出他們的工藝品，利用「文化創意產業」與世界溝通。算起來，臺灣意識到文化創意的重要，遠遠落後歐洲一個世紀。

　　國立臺灣藝術大學校長黃光男教授在《異國文化行腳》一書中描寫左岸巴黎的風情：

> 　　至於巴黎街頭，到處是可以停下腳步來喝咖啡的人，所以咖啡店林立。在騎樓下或較寬闊的庭室，有品味而簡潔造型的桌椅一擺，坐下來歇歇腳，喝杯香醇咖啡，疲憊全消，又可看看來往眾生相，好個午後風光。觀光客也很自然地加入行列，形成一種國際公認的休閒生態。但不論它是否有效提神或另有作用，當這群人在休息過後，各自回到自己的崗位，接著不眠不休投入工作。或許這就是法國文化的真相——精緻的文化、藝術環境，並不只是一閃即過的養眼，而是真實生活的反映（黃光男，2004）。

　　臺灣四面環海，自然孕育出屬於本島自創自生的藝術原型——檳榔西施，以人體做為商機的藝術，也許有它的潛力。它是人性的共感，並非對性的褻瀆，是臺灣特殊商業文化的人體展現，它所遇合的文化，成為獨特而有個性的原生藝術，但對外國人來說，可能還是隔了一層霧吧！如以文化創意角度看，配合公共衛生疾病預防，將檳榔文化導入正途，再創清新健康形象，自然有它的經濟效用與文化特質。

二、原鄉文化驅策文創產業發展

原鄉文化的感動現場，深埋在生活周遭，只是被忽略、無法被看見；就好像中古時代的羅馬人無視於輝煌上古希臘、羅馬時期的古典文化藝術，直到文藝復興，被蒙蔽千年的雙眼才得以看見古典文化的美感。

希臘史學家希羅多德說：「埃及是尼羅河的贈禮。」每一個大城市都會有一條與人類共同耕耘、共度歷史的大河；河流可以說是文明的母親，文明則蘊藏了這塊土地人們的共同記憶；以臺灣中部的大河烏溪為例，烏溪又名大肚溪，源自南投縣，流經臺中、彰化，延淌過的每一塊土地都有墾荒的痕跡，灌溉的每個角落都有著動人的傳說故事，那是人民、河流、土地與時間共構的生活現場；漢人的墾荒步履是由烏溪下游溯溪而上，層層、疊疊、重重又復復，從原住民族、平埔族、漢人、客家人到新移民，留下了許多歷史的生活現場，原始的博物館上保存了渴望被發現的人文樣貌與動人詩篇；如果由上游順流而下，重新建構與詮釋這些歷史的生活現場，處處都與「《賽德克・巴萊》」、「布農少女與八部合音」「東埔國民小學——讓世界聽見玉山唱歌」一樣有著的感動史詩故事、現場（張桓忠，2012）。

圖1　布農族少女（左圖）與玉山精神（右圖）顯現臺灣多元文化與族群融合之可貴（油畫作者：李本燿教授）

　　時尚原鄉文化生活美學現場的建構，是一個再詮釋與再彰顯的過程，必須傳承過往歷史文化的基底，又必須有感動當代人的創意活動及設計。這個創發，在國家主導文化創意產業發展的當下，能從臺灣出發，然後開遍全球，使臺灣看不見的文化，成為看得到的生活美學現場。

　　文化創意來自「可觸摸的歷史」與「可生活的城鄉」，是創意想像力的原鄉土壤（陳育平，2007）。日人宮崎駿擅長運用「好故事」創作動畫，《龍貓》即為其風靡全球之代表作品。好故事當然來自豐富的想像力，但是想像力則來自「高單位文化養分」的生活土壤，內含各種文化創意元素。法國酒鄉的葡萄酒，臺灣的烏龍、白毫，好酒好茶都源自優質的風土條件（terroir），那完全來自土壤的特質，孕育成文化創意元素。豐田（Toyota）以源自關西傳統日本的禪靜生活條件，加上 50 年汽車製造的深度工藝技能，打造出以極致「靜、穩」為訴求的凌志汽車（Lexus），撼動了向以金屬工藝著稱，來自德國巴伐利亞的雙 B 廠牌。「靜、穩」即是豐田汽車的文化創意元素。英國追根究柢去找創意固有的文化價值，以及現今與之並行形成的經濟利益，發展創意經濟為當務之急。文化藝術以及文化產業，是創意經濟的溫床！日本立國的基礎是文化精神力，經濟發展的目的是為了實踐這個基礎（陳育平，2007）。

　　聯合國教科文組織對「文化產業」（cultural industries）的定義是：結合創作、生產與商業的內容，這些內容在本質上具有無形資產與文化概念的特性，並獲得智慧財產權的保護，而以創意產品或服務的形式來呈現。從國際觀點來看，文化產業是世界各國近年來少數幾項具有大幅成長潛力的產業。事實上，許多國家受到全球化的影響，均出現「全球思考、在地行動」的政策浪潮，並致力於文化產業，全力思考如何藉由藝術創作和商業機制，彰顯發揚各地的文化特色，進一步增加人民的地方認同、產業附加價值和經濟發展。

　　1997 年工黨當政的英國，率先將「文化創意」列為國家經濟政策，之後短短 5 年內改變了英國的經濟體質，文化創意產業也躍升

為英國第二重要的產業。此後世界各國紛紛在既有基礎上推動文化創意產業，帶動 21 世紀新的經濟風潮。

什麼是創意？創意是變化無窮、隨時更迭的想法，以便解決問題或改善人的生活；而文化能使我們的生活實在、有意義、有感受、有反思、有情感。文化形塑了一個人的人格和態度，也可以形塑一個國家的形象和格調，因此文化對人的自我認同、甚至對國家的認同，都深具影響。依據行政院「文化創意產業推動小組」參考聯合國教科文組織和英國政府對文創產業的定義，並考慮臺灣文化的特質，將「文化創意產業」定義為「源自創意與文化積累，透過智慧財產的形成與運用，具有創造財富與就業機會潛力，並促進整體生活環境提升的行業」，包括視覺藝術、音樂、表演藝術、文化展演設施、工藝、電影、廣告、電視、數位休閒娛樂、出版、設計產業、品牌時尚設計、建築設計、創意生活等項。

文創產業分為「文化服務」和「文化產品」兩部分，文化服務如畫展、音樂會、戲劇表演、電影、電視劇等等；文化產品如博物館的紀念品、明信片、畫冊、旅遊書籍、金工珠寶、陶瓷用具、服裝時尚、裝飾品擺設等等（陳郁秀，2006）。

如果我們瞭解世界先進各國對文化創意產業的積極，臺灣應該感到憂心。歐洲擁有來自歷史的優勢，在文化、藝術、工業上領先，占據世界文化產業龍頭地位；美國挾著強大的商業力量和資本主義機制，文化產品早已橫掃世界，例如好萊塢的電影。再看中國和近鄰的香港、韓國、日本，也都展現強烈企圖心，連一向被認為比較落後的泰國，也因為向英國學習之後，大量邀請國際級設計師參與推動傳統工藝升級，短短一年就把傳統工藝推上國際市場。

臺灣保存了許多傳統藝術及工藝，如歌仔戲、布袋戲、皮影戲、南管、崑曲、京劇、交趾陶、金工、木雕、竹雕等等；也有融合古典和現代的雲門舞集、漢唐樂府、無垢舞團、優人神鼓等團

體，並且都得到國際肯定；臺灣藝術家在威尼斯雙年展、建築展及各國重要影展屢獲佳績。這些都告訴我們，臺灣是有「文化內涵」和「創意點子」的國家，但目前還缺乏將這兩者與產業結合的努力。

文化創意產業有兩個核心：第一是「藝術創作」，第二是「地方文化」，沒有這兩個核心，就沒有文化產業。「文化創意產業」固然以產業績效為目標，但絕不是產業導向、唯利是圖的政策；它最終目的，還是照顧核心的文化藝術和各行各業的「創意點子」。透過文化創意產業，重新形塑臺灣形象，由「廉價」轉成「品質、品味、品牌」；由「生猛」轉成「活力多元」，讓臺灣人的親和力成為「友善、關懷」的代表。

在「墨色國際有限公司」策略性的經營下，創造出「清新、優雅、感性」風格的幾米產品，讓「幾米產品」一躍成為生活品味的象徵。

表演藝術類的「相聲瓦舍」奠基於傳統，卻不拘泥於傳統，將傳統相聲舞台的簡約與單調，轉化為引人入勝的表演場域。

「雲門舞集舞蹈教室」透過肢體的開發，讓大眾的生活動起來，拓展更多身體發展的可能性與生活的樂趣。

「香蕉新樂園」以常民文化為主題，幫我們回憶起臺灣 1950 年代的歷史情懷，在這個空間裡，不只是一間茶館，還是一個可以回顧生活、省思人文的教育空間。

「華陶窯」融合了臺灣民俗建築及周邊景觀，建構出花、陶、窯、景皆具本土文化意涵的柴燒窯場。

「白米木屐村」成功地經由社區民眾參與的方式來完成木屐產業的推廣，其生產的過程是一連串創意累積與公益價值之展現，證明了有創意的社區產業，也可以自成一格。

　　日治時期，日本人宮原武熊在臺中市中區開設之宮原眼科醫院，其歷史風華、發展脈絡所淬煉之感人故事，經「日出集團」經營團隊靈活運用所創造之「日出宮原」、「日出四信」，如今已遠近馳名，成為文化創意產業的翹楚。

圖 2　日本人宮原武熊，昔日眼科醫院；歷史故事，今為文創產業的靈魂
（「日出宮原」攝影者：李本燿教授）

　　那麼多本土案例，不管是文化藝術活動如何透過創意行銷將其產業化，或是既有產業透過文化來增加其產品價值，或是強調產業本身的創新創意，可以發現臺灣絕對有理由與潛力來發展文化創意產業（孫華翔，2004）。竹筒飯以「大坑竹筍」為文創元素；「東山棧甕仔雞」延續昔日「土雞城」原鄉食材概念為文創發想，以二者為例，皆染具地方產業特色，如能在歷史故事導向下，以文化創意行銷包裝為訴求，應可提高產品加值功效（李本燿，2008）。

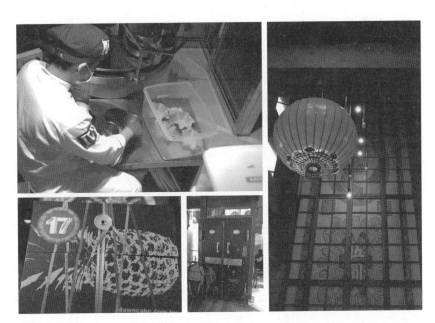

圖3　宮原眼科冰淇淋、四信保險金庫、日出鳳梨酥為日出四信的文創原素
（「日出四信」攝影者：李本燿教授）

問題討論與解決

（一）探討原鄉文化元素的發掘與建構（人物、事件、歷史）。

（二）研議原鄉生活美學現場模本的規畫與實作（規畫參觀景點路線與活動）。

（三）模擬時尚原鄉生活美學現場的設計與建構（景點的創意硬體設備與說明。

（四）規畫時尚原鄉生活美學資源交流網站系統之建置（網頁建置與應用）。

（五）研發時尚原鄉文化創意產品規畫與設計。

（六）發想文化創意藝術活動策展規畫與推展。

（七）調理原鄉食材的創意設計與活動規畫。

（八）盤整原鄉生態環境創意規畫與建構。

＊參考資料

李本燿（2005）。《華麗飛行：歐遊人文與關懷雜記》。臺中：晨星。

李本燿（2008）。〈運用文化創意思維打造「21世紀印象南投觀光起飛」可行性之探討〉。《中臺學報》，20卷第2期。

陳育平（2007）。《原鄉時尚 Native Trend 八倍速驅動創意經濟》。臺北：天下雜誌。

陳郁秀（口述）、于國華（整理撰述）（2006）。《鈴蘭・清音》。臺北：天下遠見。

張一蕃（2005）。〈知識經濟時代專業人才的培育與通識教育〉。《2005全國技職校院通識教育課程發展會議暨觀摩會專輯》。臺中：中臺科技大學通識教育中心，2005。

張桓忠、周曉楓（2012）。〈景點、故事、行動數位：大坑社區資源的運用與思考〉。《中臺學報》，24卷第2期。

黃光男（2004）。《異國文化行腳》。臺北：典藏。

孫華翔（2004）。〈臺灣創意藏寶圖〉。《文化創意產業實務全書》。臺北：商周。

課後心得

課後心得

第三章

吳正男、林武佐

我們從紀錄片學到什麼

壹、我們從紀錄片學到什麼——
對社會的影響——以《美味代價》為例（林武佐）

圖1 （林武佐攝）

一、《美味代價》的啟示

　　為了說明紀錄片如何影響社會大眾，我們以美國的紀錄片《美味代價》為例，它是一部有關美國食品工業的紀錄片，其論述的真實性、批判性十足，對社會大眾關於「食物」的傳統觀念，給予一個全新的介紹，特別是速食與基因改造食品。在影片初始，它引導我們平常被忽略的重要提問：常吃漢堡會致命嗎？被基因改造的黃豆、玉米食品，是否充斥了整個市場？速食業每天需要的大量雞肉、牛肉，又是怎樣生產出來的？接著，透過鏡頭畫面，揭露了美國食物工業的真實面貌：這些食物企業公司是如何製造出壯碩的雞、抗病蟲害的大豆，甚至是不會腐壞的番茄等「完美」食物，但

每年還是有數萬人受大腸桿菌侵擾，原因是牛不吃天然牧草，而吃大量生產的玉米。還有學童過胖以及成人的糖尿病等問題也因「完美」食物的攝取顯得日趨嚴重。影片開宗明義地揭露社會「弊病」，並積極探討病灶原因，是傳統紀錄片的對社會參與、揭弊、找證據的典型。

　　開場白之後，首先片中訪問連鎖餐廳業者以及農場經營者，為社會大眾帶來令人震驚的真相：速食餐飲業是促成食物生產走向工業化生產模式的主要推手，且托拉斯級的快餐餐飲集團壟斷了牛肉、雞肉、豬肉、馬鈴薯、生菜、蕃茄、蘋果、穀物等主要銷售，並在客製化的要求下，訂出不論何時、何地、何物，這些商品送到世界各地的消費者口中，吃起來都是相同的味道。鏡頭下我們看到大賣場供應的雞隻生產過程被縮短時程並統一改變了飼養手法，而穀物種植成為跨國企業間利益競爭之下的犧牲者，主要供應給人類及飼養動物的穀物被用於基因改造，創造出新一代的產品，例如：高果糖糖漿，它是過度精緻的糖漿，經求證是日常飲食中導致第二型糖尿病的主要原因。

　　其次，片中談到牛隻養殖也因為穀物便宜而受到改變，現在的美國牛肉都是以玉米為主食，單位成本低廉的玉米讓牛身上的肉迅速生長，但卻導致牛隻體內帶有危害人體的新型大腸桿菌比例大增。影片中引用專家的研究指出，只要讓牛吃草 5 天，牛體內的大腸桿菌就能減少至少八成，但如此做與生產者的利益衝突，所以他們雖知道卻仍寧願讓消費者概括承受食用玉米牛肉的嚴重後果。論述至此，這部影片具備標準紀錄片實事求是、積極尋找證據的專業態度，幫民眾上一堂自身「食的權益」的養生保健通識課。

　　再者，影片探討一般藍領工薪水家庭的日常飲食是如何安排？因為受訪者認為一般超市所販賣的天然蔬果、比較健康的食品比速食店的漢堡貴得多，因此，讓他們拋棄傳統買菜烹食的習慣而投向

速食店的懷抱。因為這樣的飲食習慣導致全家人體重過重，而第二型的糖尿病也普遍存在於這種工薪家庭當中。但是，跨國企業卻掩耳盜鈴般地辯稱這些工薪家庭是自己不懂得為自己的健康負責，但他們大量生產高糖、高鹽、高油產品並不斷用低成本、高效益、打廣告的經營模式，造成了人類飲食往三高（高糖、高鹽、高油）趨勢演進，給全人類的健康及壽命埋下一枚三高（血壓、血糖、膽固醇）的定時炸彈。以上，影片的論述，若全屬實的話，足此造成人類社會整體健康的一大威脅及隱憂。紀錄片能幫社會針砭到如此深入的程度，不是一般媒體能為其項背的。

接著，影片探討某些類型紀錄片也常關心的勞工權益問題。影片呈現出在美國境內某些世界知名的跨國食品製造業，知法犯法、利用非法入境的員工來降低成本。但是，他們把人當生財機器，不顧這些員工該有的權益與合理待遇：給超低的薪水且規定要超時工作，工作的環境到處充斥抗生素、荷爾蒙等不利健康的污染物。這些勞工還會在雇主與警方的期約下被捕，但最後，這些企業本身一點責任都不用負，因為政府高層跟雇主的關係很好，可以睜一隻眼閉一隻眼。除了勞工權益低下外，因著基因改造產品的專利權問題，讓傳統農民面臨被強迫使用基因改造種子且不能蒐集的命運。這些改變傳統農民命運的美國孟山都農業生技公司（Monsanto Company），是全球最大的化工公司之一，也是全球百分之九十轉基因作物的種子技術的提供者。影片中紀錄一段真實事件，雖有農民不從孟山都農業生技公司的耕種建議或想反制，其下場往往是被該大企業整肅並用種種理由告到法院使傳統農戶不得不向孟山都生技公司低頭，因為，在這種情況之下，法律通常向高度利益者那一方傾斜，而無公理可言。針對孟山都農業生技公司的惡行惡狀，今年（2010）初法國有一部紀錄片：《孟山都公司眼中的世界》可以幫助我們認識到鮮為人知的「食物政治」與企業霸道的社會黑暗面。

　　也因《美味代價》這部紀錄片某種程度提供了社會在食物認識與食用的改革契機、它明確提供給民眾一些知與行的方針。它甚至提醒我們，當吃速食比家裡烹調食物更經濟方便時，貪小便宜又忙碌的人，就自然地選擇了速食，因此就有機會吃到一些傷害你健康的食物。就算你去大賣場或市場買菜自己烹調的話，還是有可能逃不過上述潛藏的危險因子，因為很多冷凍食品、肉類和加工食品，也都暗藏吃的危機。影片告訴我們，食品工業中為了謀利不擇手段所造的惡，其來源都是為了取得最大的商業利潤。而某些政府官員暗中勾結企業，讓政策的制訂偏向大企業有利那一邊，而無顧民眾的健康權益，導演明示我們應該用你的鈔票，讓企業乖乖順從，並顧及你的消費權益。

　　總之，《美味代價》這部紀錄片製作的出發點是要觀眾關心我們自己的身體，讓我們的生活不再受惡質的工業食品所左右，進而告訴一般民眾要監督政府是否把關、注意企業製造出食品的品質與安全跟所需負的人道責任，而非像片中所記錄的：政府為少數大企業的巨額利潤而出賣其品格，而非為人民服務。最後，希望食品業的托拉斯能被檢驗、公評，消費者不應再被愚弄、繼續食用低廉卻無益健康的食品。因此，這部紀錄片絕對帶有社會實踐的性格，幫助人們反思並採正確的行動改過遷善。因此，《美味代價》這部紀錄片可成為具社會影響力的紀錄片典範。

圖2　（林武佐攝）

討論題綱

（一）你常吃速食嗎？看完本部紀錄片你還會想吃速食嗎？

（二）你對你的飲食習慣滿意嗎？說明滿意或不滿意的原因。

（三）你對基因改造瞭解有多少？試說明其利弊。

（四）政府應如何把關食品衛生並維護食品消費者的權益？

（五）若是有改善的空間，你將如何改變飲食習慣？

＊參考資料

Morgan Spurlock（導演）（2004）。《麥胖報告》。美國：Roadside Attractions。

Robert Kenner（導演）（2008）。《美味代價》。美國：Participant Media。

貳、我們從紀錄片學到什麼──
從公衛與弱勢關懷觀點（吳正男）

一、如何看待紀錄片？

　　近年來數位產品的普及化，降低人類拍攝並記錄影像的門檻，雖然紀錄當下已成全民運動，但拍下的影像經自我觀點編排敘述後，就可稱為紀錄片嗎？若不是，那紀錄片的本質是什麼？紀錄片長久以來被認為是真實捕捉特定事件所發生經過的一種短片類型，且不容許對真實世界發生的事件進行偽造、扭曲與干預，而拍攝者則為事件與影像紀錄的橋樑。雖然紀錄片被要求必須再現真實的狀況，然影片受限於時間長短與可拍攝到的角度與內涵，卻只能反映出真實事件的部分面向，因此拍攝者的觀點與視角，成為左右觀眾認知事件的掌握者。因此紀錄片所傳達即為真實嗎？這有賴紀錄片

工作者恪守再現影像真實性的「工作倫理」與有待觀眾透過對事件更廣泛地觀察與自我省思，方能自人云亦云的盲從現象中跳離，看到事物的多元面向與觀點。

二、SARS 風暴

　　人類與微生物的戰爭自古至今從不間斷，由於微生物的自然突變加上外在環境的選擇，造就諸如人類免疫缺陷病毒（HIV）、伊波拉病毒（Ebola）、流感等新興傳染病每隔數十年，即會在人群中爆發嚴重疫情。2002 年 11 月廣東地區出現一種可介由空氣傳播並會造成感染者發生嚴重肺部發炎因而致死的非典型肺炎傳染病。疫病發生初期，由於對疫情的輕忽與中國大陸刻意的隱瞞，且無法確認病源微生物的狀態下，一場災難性的傳染病自 2003 年 2 月起由廣東擴散至香港、東南亞乃至全球。世界衛生組織（WHO）在該年 3 月中旬正式將該病命名為「嚴重急性呼吸道症候群」（SARS），並直至 4 月中旬才正式鑑定確認致病原為一種新的冠狀病毒，並命名為 SARS 病毒，同時建議各國採取隔離方式，防堵病毒的擴散。隨著正確防疫方法導入，該年 7 月全球疫情全面控制，但經歷這數個月時間，已嚴重造成社會的恐慌動盪並付出包括醫護人員在內近八百名人員的寶貴生命，八千多人感染的慘痛代價。

　　臺灣自 2003 年 3 月中旬第一個 SARS 病例報告至 7 月初世界衛生組織宣佈將臺灣從 SARS 感染區除名，近 4 個月期間，共有 664 個病例其中 73 人死亡，並創下 1949 年以來首次因院內感染而遭到封院的事件。該事件起因於當新興傳染病爆發時，如何對疫病防治進行最正確且有效的決策與管理難以權衡，外加當時臺灣的國際處境，政府正艱難地推動加入長期被摒拒於門外的世界衛生組織而極力維護並標榜「零社區、零死亡、零輸出」的所謂「三零紀錄」防疫績效。在政策未明與 SARS 發生初期病例判斷困難的狀態下，臺

北市和平醫院由於未告知醫護人員及員工院內有疑似案例，且防護措施未能嚴格落實執行，醫院也在發現疑似病例時未予以隔離等諸多疏失下，終爆發嚴重的院內感染事件。臺北市政府則在尚未有完善的配套措施下，驟然下達封院的指示，造成仍留滯在院內包含醫護人員近千人在缺乏防護措施的病毒天然大培養皿中自生自滅，引發人心惶惶與各種混亂失序行為。

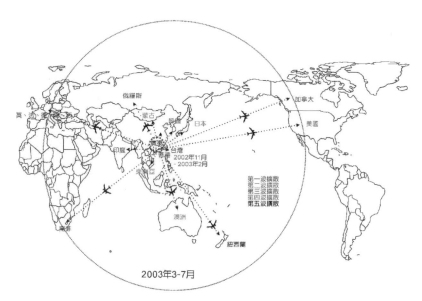

圖 3　SARS 病毒隨著便捷空中交通的攜帶而迅速擴散
（吳正男自繪）

三、《穿越和平》紀錄片

　　《穿越和平》紀錄片以訪談 2003 年因 SARS 風暴而封院事件中的主角，包括留滯在和平醫院內的醫師、護士、洗衣工、政策決策者、及醫學公衛專家，重現事件的原委，並經由不同立場與角度切

入，提供觀賞者進行多面向省思。類似 SARS 這樣的新興傳染病會再來嗎？我想答案是肯定的，然而我們在 SARS 風暴中是否已學得足夠的教訓以應付未來呢？而法律和社福又是否已為當年這群被犧牲的少數人平反？

討論題綱

（一）SARS 病毒如何由自然界產生？何謂新興傳染病？

（二）防疫視同作戰，但 SARS 發生期間，在防疫工作上各方的爭議點為何？

（三）當新興傳染病爆發時，在疫病防治工作上難以進行有效的決策與管理原因為何？

（四）在維護大眾權益時，又如何兼顧受害者的權益？

（五）如果您為當時和平醫院內的醫護人員，會當個「落跑醫生」嗎？當生命安全與職業倫理發生衝突時，您如何抉擇？

＊參考資料

古國威（導演）（2003）。《和平風暴》。臺北：財團法人公共電視文化事業基金會。

朱賢哲（導演）（2007）。《穿越和平》。臺北：財團法人公共電視文化事業基金會。

課後心得

課後心得

第四章

張桓忠

兩極化的世界：
資本主義經濟的激化發展

學習重點

1. 了解全球化世界趨勢的源起與發展。
2. 了解全球化資本主義的發展。
3. 觀察在地化與全球化的對立情形。
4. 觀察到資本主義形構的兩極化世界。

印度諾貝爾經濟學獲獎者阿瑪蒂亞‧森（Amartya Sen）指出：

> 儘管全球化經濟無庸置疑地對推進世界繁榮做出了巨大的貢獻，但我們仍然不得不面對……國際層面和國內層面日益擴大的不平等現象。與全球化相關的最實在的爭論，最終並不在於市場的效率，也不在於現代技術的重要性，而恰恰在於權力的不平等。

2011 年轟轟烈烈的「佔領華爾街」運動，其背後的精神領袖、論述支持者，就是法國經濟學家皮凱提（Thomas Piketty），他某次受訪時說，華爾街「佔領有理」，因為資本主義運作不良。《21 世紀資本論》（*Capital in the Twenty First Century*）一書把「資本主義運作不良」做了當代性的詮釋。此書一鳴驚人，在歐洲、美國皆高踞暢銷書榜首。

皮凱提認定當代已經結束「天堂」的時代，目前我們正退回 19 世紀財富過度集中的資本主義危險境界；政治體制被少數

圖 1　法國經濟學家皮凱提 Piketty（圖片來源：維基百科 https://upload. wikim edia.org/wikipedia/commons/5/52/ Piketty_in_Cambridge_3_crop.jpg，屬 CC 授權合理使用）

財團把持，富人的龐大勢力將世界 M 型化、兩極化。M 型的右端，是少數富有的人，擁有世界近百分之九十的資產；M 型左端的多數人，面臨生活資源不足的困境。

壹、全球化的緣起與趨勢

全球化的發展可以追溯至地理大發現與海外殖民地擴張的時代，近 500 年以來世界歷史的變遷，正是市場經濟導向全世界的一個過程。但「全球化」（globalization）這個名詞，晚至 1960 年代才被提出，1980 年代則演變成一個描述未來趨勢的概念。到了 1990 年代，由於網際網路的使用，天涯若比鄰、世界一家、地球村觀念的出現，全球化問題就成為眾所注目的焦點。

全球化強調超越國家、跨全世界性的組織活動，超越國與國之間的界限。人類的許多問題已經不是某個國家、某些國家決定就可以解決的，例如流感問題、氣候暖化等議題，都是必須全球人類共同關注與面對。

一項明顯的事實，全球的資本、貿易、金融、科技、勞力與管理，配合跨國公司的推動，已使經濟的營運邁向國際化。因生產、分配與銷售的垂直分工，國與國之間在經濟上的相互依賴度、相互滲透度，都更提高與加深，沒有一個地方能與世界隔絕。因此，就經濟的角度來看，全球化也是一個資本集中化、極大化的趨勢，更是一個強國支配弱國、資本主義全球性發展的過程。

貳、全球化的資本主義經濟發展

資本主義的當代發展，與跨國公司、區域性組織及全球性貿易組織的出現有密切關連性。

一、21 世紀前後的跨國公司現象

　　1990 年代，世界生產總值的三分之一，70% 的對外直接投資、80% 的技術專利和三分之二的貿易額，均掌握在跨國公司（Multinational Enterprise，簡稱 MNE）的手上。1998 年，在位列前五十大的世界經濟體中，跨國公司就占了十一家，其經濟實力足以併購一些貧弱的國家。1995 年以後，為了調整產業結構以便壟斷市場，許多跨國公司進行併購，使企業大者恆大。2002 年 12 月，時代華納（Historical Time Warner）公司以 1,830 億美元高額，成功的合併了美國線上（American Online）公司，宣告世界最大娛樂媒體公司的誕生。2012 年，蘋果電腦的市值一度超過 5,000 億美元，產品生產線跨越十幾個國家。

二、區域性組織的形成

　　在資本分工的情形下，世界形成了中心、半邊陲及邊陲三個區域。小而資源貧乏的國家，在全球化發展的過程中，競爭性相對減弱。為了追求共同的利益，區域性組織或協約的簽定，成為經濟全球化的重要現象。在北美洲，北美自由貿易協定（The North American Free Trade Agreement，簡稱 NAFTA）就是在美國的領導下，建立以自由貿易為基礎的北美自由貿易區。在亞太區域，1991 年在韓國舉行會議並通過《漢城宣言》的亞太經濟合作會議（Asia Pacific Economic Cooperation，簡稱 APEC），就是為亞太區域人民的共同利益保持經濟增長的區域組織。

　　歐洲的歐盟發展具有前發性的指標。歐洲各國在羅馬帝國時期原本是統一國家，在基督教文化的薰陶下，有其文化上共同的歷史淵源。近代民族主義興起後，歐洲各國各自獨立並彼此競爭，一度為世界霸權，然而兩次世界大戰的戰火均蹂躪歐洲本土，造成歐洲的衰落。

　　第二次大戰之後，不少政治家、學者紛紛倡導歐洲進行統合。1965 年，組織了「歐洲共同體」（European Communities，簡稱 EC）。1992 年 2 月 7 日，歐洲共同體十二國於荷蘭馬斯垂克簽署《歐洲聯盟條約》也稱《馬斯垂克條約》（*The Maastricht Treaty*），並於 1993 年 1 月 1 日正式生效，歐洲聯盟（UN）正式概括歐洲共同體業務，並將歐洲統合範圍由經濟擴展至貨幣金融和警政，成為廣泛的超國家政治體系。歐洲的統合，成功地從經濟面整合歐洲經濟與貨幣（歐洲共同體），擴大至外交與安全政策（歐盟）。

三、全球性的貿易組織

　　就世界的貿易組織出現而言，瑞士日內瓦的世界貿易組織是一個獨立於聯合國的永久性國際組織，負責管理世界經濟和貿易秩序，WTO 中的會員國，彼此則享有最惠國待遇。目前，世貿組織的貿易量已占世界貿易的 95% 以上，與世界銀行、國際貨幣基金組織，並稱為當今世界經濟體制的「三大支柱」。世界貿易組織的形成，象徵經濟全球化已是不可違逆的趨勢，它既扮演經濟全球化的推動者，也可以說是全球化的結果。

參、全球化與在地文明的衝突

　　資本主義的全球化發展，除了造成貧富差距之外，也與在地文明發生衝突。

　　全球化是從 17 世紀以後逐步建構起來的發展趨勢，而西方殖民是推動全球化的重要推手。因此，在強調全球化的同時，背後往往隱含著經濟霸權及文化霸權的意涵；換言之，全球化是自由主義者結合帝國霸權支配全球經濟市場的局面。因此「全球化」與「在地化」（或稱「本土化」，localization）之間，所存在的衝突性往往高過於合作性。

　　尤其在第二次世界大戰後出現的後現代主義思潮，強調解構體制化、現代性，並主張多元文化的價值，這個思潮無疑地凸顯出在地化的主體精神與自主反省意義。許多國家、族群、社群或個人皆察覺全球化趨勢可能再度被扭曲成為帝國支配弱勢者的工具，因此，全球在地化運動也開始展開凸顯其在地化意涵的行動和論述。換句話說，全球化現象所涉及的是世界複雜事務或價值的重新洗牌，其內含的扭曲危機卻觸動了在地化主體性的要求，各國弱勢群體（包括國家、工人、婦女、生態運動者）紛紛注意到自主權力的保障。

肆、資本主義危機的爆發與延續

　　近年來，全球性的資本主義快速發展，除了激化 M 型社會的極端現象，使富者愈富，窮者愈窮外，也使資本主義本身發生了內部的危機；因為，這個危機來自資本主義最發達的美國。

　　2008 年 9 月 15 日，受到美國次級房貸風暴影響，1850 年創立的雷曼兄弟控股公司（Lehman Brothers Holdings Inc）申請破產保護。歐盟的經濟受到牽連，2009 年底以來，不少財政上相對保守的投資者對部分歐洲國家在主權債務危機方面所產生的憂慮，危機在 2010 年初的時候一度陷入最嚴峻的局面。一連串經濟危機和動盪中，歐元區國家中的希臘、愛爾蘭、西班牙和葡萄牙，面臨極大的金融危機。

圖 2　前美國聯準會主席柏南克（圖片來源：維基百科 https://upload.wikimedia.org/wikipedia/commons/3/3f/Ben_Bernanke_official_portrait.jpg，屬公有領域合理使用）

　　針對全球金融危機，美國聯準會主席柏南克（Ben Shalom Bernanke）與英國同時以「無中生有」創造貨幣的量化寬鬆（Quantitative Easing，簡稱 QE）的貨幣政策，減低金融危機的影響，用簡單的話來說，就是大量印製鈔票，供給市場所需，使歐美各國銀行在央行開設的結算戶口內的資金增加，為銀行體系注入新的流通性。大量印製通貨，造成美金、歐元的貶值，也使得以此貨幣為外債的國家無形中資產的減損，許多第三世界國家指出，歐美此舉是「以鄰為壑」；但也是全球化資本主義發展下的結果。

　　雖然有許多經濟學家警告，歐美並未渡過危機，但美國聯準會已經決定逐步終止 QE 政策。然而，風暴並未終止。

　　希臘國債議題近日尤其備受關注。2010 年 4 月被降級至垃圾債券評級，敲起金融市場的警鐘。歐元區國家和國際貨幣基金組織數度有條件同意向希臘提供紓困貸款。最新的紓困計劃是要涵蓋由 2012-2014 年所有希臘金融需要。如果希臘能設法遵守所有紓困計畫裡列出的經濟指標，將可於 2015 年再次使用私人資本市場以涵蓋未來金融需要。2012 年 5 月中，危機和大選之後無望組成新的聯合政府，導致強烈猜測希臘將不得不退出歐元區。潛在的退出成為「Grexit」一語和開始影響國際市場行為。2015 年 1 月 25 日，希臘國會大選，激進左派聯盟（Syriza）贏得勝選，成為歐洲第一個公開反對撙節政策而當選執政的政黨。激進左派聯盟要求與歐洲聯盟（EU）、歐洲中央銀行（ECB）和國際貨幣基金（IMF）重

圖 3　希臘總理希普拉斯（Syriza）（圖片來源：維基百科 https://upload.wikimedia.org/ wikipedia/commons/d/d6/Alexis _Tsipras_Syriza.JPG，屬 CC 授權合理使用）

新談判高達 2,400 億歐元（約新台幣 8.7 兆元）的希臘紓困案，並削減希臘部分的沉重外債。2015 年 7 月 5 日，希臘就是否接受國際債權人救助方案舉行公投，結果反對方案以逾六成被否決。希臘問題至今仍然未解，資本主義擴張的問題，持續在國際間擴散。

全球百分之二十高所得及低所得的人民收入比，1990 年為 30 比 1，到了 1991 年增加至 60 比 1，1995 年更攀升至 81 比 1，足見貧富差距越來越大。絕大多數的人在貧困、飢餓線上掙扎，預示了一個新貧困時代的來臨。中央研究院朱敬一認為，如果我們再不改弦更張，那麼大約 30 年之內，全球各主要市場經濟下的資本集中度，大概會有 80% 以上集中到社會最富有 10% 的人手中。這種情況大略與《孤星淚》的寫作背景、或是馬克思寫《資本論》時所見、或是法國大革命前夕的社會環境相當。由於財富分配太不平均，社會上絕對充滿不安定的因子（朱敬一，2014）。

分組討論

（一）臺灣是否有兩極化世界的趨勢？請舉例說明。

＊延伸閱讀

朱敬一（2014）。朱敬一專欄：《21 世紀資本論》導讀與對照 (1)：資本集中的必然趨勢。取自 http://www.storm.mg/article/23023。

張翔一、吳挺鋒、熊毅晰（2014）。〈臺灣貧富差距創新高！1% 比 99% 的戰爭〉。《天下雜誌》549 期。

陳文茜（2014）。文茜的世界周報／法經濟學家新書 《21 世紀資本論》大暢銷。取自 https://www.youtube.com/watch?v=rugo3OX8x48。

Piketty, Thomas/ Goldhammer, Arthur (TRN)/ Ganser, L. J. (NRT) (2014). *Capital in the Twenty-First Century*. Brilliance Audio.

課後心得

課後心得

第五章

後現代思潮：
多元價值的蘊生、主張與觀察

張桓忠

學習重點

1. 了解多元文化與後現代主義的關係。

2. 知道存在主義與後現代主義的關聯性。

3. 知道後現代主義的重要現象。

4. 觀察到臺灣的後現代現象。

圖1　多元文化其實早就存在，上圖為13世紀泉州同時刻有佛教神祇與天主教十字架的墓碑。反映當時的泉州人認為天主教與佛教是可以融通的。（2014年作者攝泉州海外交通博物館）

　　2008年當選美國總統的歐巴馬（Barack Hussein Obama），是美國第一位非裔的美國總統，同時擁有黑白黃血統。翻閱美國200多年的歷史，黑人與白人衝突不斷發生，19世紀中葉還曾因黑奴爭議爆發內戰（American Civil War, 1861-1865）；但是，何以21世紀初的美國人會選舉一位具有黑人血統的總統？

　　2009 年，葛斯‧范‧桑（Gus Van Sant）導演的《自由大道》，
獲得奧斯卡包括最佳影片、最佳導演、最佳男主角、最佳男配角等
八項提名，最終獲得最佳男主角和最佳電影劇本兩項大獎。這部電
影是根據美國政治家哈維‧米爾克（Harvey Bernard Milk, 1930-1978）
的真實故事改編，他是美國同性戀運動人士，在 1970 年代，曾做為首
位公開同性戀身分的政客參加競選，並成功榮任舊金山市政府官員。
2008 年 11 月 26 日，米爾克被刺殺滿 30 年的前一天，《自由大道》
在美國上映。

　　2008 年《海角七號》首映，被視為臺灣電影翻紅的代表作，魏
德聖在片中用彩虹的不同顏色，象徵不同族群的緊密融合，呈現出
臺灣多元文化的和諧。2011 年，魏德聖帶著《賽德克‧巴萊》踏上
威尼斯，他表示：臺灣的多元文化和強大的創作力，都是優勢，不
應輕言拋棄。

　　上述看似沒有關聯性的事件，卻都與當代的後現代思潮有密切
連結：世界朝向多元價值的取向發展。什麼是後現代？又如何蘊生
發展？重要主張又是什麼？

壹、何謂「後現代主義」？

　　無論是歐巴馬當選總統、《自由大道》與《海角七號》的播映，
都反映了多元族群與群眾已經在當代社會被接受與肯定。但是，美
國黑人人權的平等、同性戀的彩虹自由、臺灣原住民的社會地位，
都不是一朝一夕可以獲得。多元文化的從何時開始？有人說 1960 年
代，有人主張早在 20 世紀初就已經撒下種子，經過百年醞釀，「多
元文化」才能在當代開花結果。這與後現代主義的出現有密切關聯。

　　持不同社會、文化立場的學者曾爭論「後現代主義」（post-
modernism）的定義，有人認為後現代一方面是現代主義的發展

和延伸，繼承了現代主義反傳統主張；另一方面，又是深刻反省現代主義引發的問題，對現代主義進行批判，試圖「解構」（deconsturuction）近代以來所發展出的「現代性」。無論如何，當代思想家普遍認定：1960 年代以後已經進入「後現代時期」。

貳、後現代的萌芽：存在主義

19 世紀末至 20 世紀初，西方社會面臨重要的轉捩點，數十年的經濟繁榮遇到不景氣，使人人財富萎縮，對工業資本主義社會產生懷疑；且工業資本社會裡，貧富的落差，也未必使人人享受到資本社會的成果。加上兩次世界大戰造成人類的大災難，令人很難想像科技文明結果竟是浩劫。許多學者面對 19 世紀末以來的轉變，無不感到憂心。

因此，當人們開始懷疑存在的意義無法掌握時，有些學者訴諸於本能、感性與身體的感知、當下具體的經驗、以及自我生命的經驗，這種對人存在意義探討的思維，被稱為「存在主義」。存在主義（existentialism）是當代歐陸主要思潮之一，此思潮是 19 世紀末以來的齊克果（S. Kierkegaard, 1813-1855）、海德格（Martin Heidegger, 1889-1976）等人的思想的延續發展。20 世紀後半葉，沙特（Jean-Paul Sartre, 1905-1980）則引導當代的存在主義主張。他們宣告「上帝已死」，企圖瓦解自西方啟蒙運動以來，思想家所汲汲追尋的真理及理性根基。

各種存在主義的論述，都圍繞著人的本質、人與世界的關係，以及「存有」的觀念。以沙特為例，他認為「成為自己」才是真實的存在，為了努力成為真實的存在，反抗外來的干預是必然的手段，反抗國家權力的強化、反抗生活的社會化、制度化與集體化。存在主義的反制度化、社會化等主張，以及強調以個體存在、成為自己的觀點，都深刻影響後現代主義的興起。

參、後現代的重要現象

多元文化與平權思想無疑是後現代思潮中的重要現象。本來在現代社會中弱勢的組織、人群逐漸受到重視，他們更積極地發掘自我價值與意義。在這種思潮的推動下，弱勢族群強調「平權」成為時代的思潮，並推動許多平權運動開展。

一、黑人民權運動

長期以來黑人生活於美國社會的最低層，許多州郡還實行種族隔離措施，而且黑人的就業機會較少、報酬也較低。1960 年代初，黑人就展開了廢除差別待遇、反對種族歧視、爭取自由平權的民權運動。

1963 年，20 萬黑人和 5 萬白人，在華盛頓舉行規模龐大的和平示威。金恩博士（Martin Luther King Jr., 1929-1968）在林肯紀念堂，發表《我有一個夢》（*I have a dream*）的演說，將黑人民權運動推向一個新的高潮。他聲稱：「相信總有一天，美國會成為一個不分膚色，而以品格優劣為準的國家。」1965 年，國會通過《選舉法》（*Voting Rights Act*），1968 年又通過《民權法》（*The Civil Rights*），黑人的政治社會地位得到明顯改善。

二、女權運動

有鑑於性別歧視與差別待遇，依然存在於美國社會，隨著反戰與民權的抗爭，1960 年代也成為女權運動者覺醒的時代。1963 年，西蒙‧波娃（Simone de Beauvoir, 1908-1986）在《第二性》（*The Second Sex*）中說：

圖2 法國女權運動主義者西蒙・波娃
（Simone de Beauvoir）

（圖片來源：維基百科 https://com
mons.wikimedia.org/wiki/File: Simone_
de_Beauvoir.jpg#/media/File:Simone_
de_Beauvoir.jpg，屬公有領域合理使用）

> 我們並非生來為女人，我們是成為了女人。……
> 如果說在青春期以前，有時甚至從嬰兒早期，在我
> 們看來她的性徵就已經決定，那不是因為有什麼神秘
> 的本能在直接註定她是被動的、愛撒嬌的、富於母性
> 的，而是因為他人對這個孩子的影響幾乎從一開始就
> 是一個要素。於是她從小就受到灌輸，要完成女性的
> 使命。男性亦然。

　　女權運動無疑是當代社會明顯的脈動，以往「男尊女卑」的時代已經不存在了。

三、學生運動

　　20世紀1960年代後半葉，歐美各地先後發生了一系列學生運動，氣勢席捲全球。1968年，法國巴黎大學學生因宿舍管理問題，而與校方發生紛爭。此後，擴大到其他城市且演變為學生運動。5月，工人罷工並與學生相結合，在巴黎街頭與軍警展開激烈衝突。在德國，大學生們從要求進行高校制度改革，發展成為要求進行政治和社會變革；「1968年」成了學生運動的代名詞。

後現代思潮鼓勵百花齊放，主張多元文化，強調不同的社群和利益團體，旨在建構適合他們特殊需求和文化的價值。

肆、臺灣的後現代觀察

在臺灣，甚至在世界很多地方，都還認為理性的正確運用可以產生真理；但是就後現代主義來說，透過理性確認真理，是荒謬的事，從理性追尋真理只是掉到西方啟蒙運動以來的大陷阱中。因為，真理只能被「感覺」；但是，當代理性的知識結構無法論述真理。

「感覺」，可以點出臺灣近年來幾部電影不但叫好、又叫座的原因。從《海角七號》開始，《賽德克・巴萊》、《陣頭》、《總鋪師》、《大尾鱸鰻》、《那些年我們一起追的女孩》……等電影的情節，都喚醒觀眾的某些記憶或生活經驗，會心一笑，就是牽動了觀眾的「感覺」。這些電影的賣座，並非有多大的卡司或多少製作成本，而是與臺灣觀眾在生活的「零碎破片中」，發生了「實在」的連結，這種「實在的感覺」是超越理性的存在。

問題與討論

（一）請蒐集近半年世界、臺灣發生的多元文化議題，並以後現代的理論、主張來進行討論。

＊延伸閱讀

高宣揚（1999）。《後現代論》。臺北：五南圖書出版有限公司。

黃進興（2008）。《後現代主義與史學研究：一個批判性的探討》。北京：三聯書店。

Bauman, Z. (1988). "Is There a Postmodern Sociology?". *Theory, Culture & Society, 5*, 217-237.

Beck, U. (1994). Politary Press. In Beck, U., Giddens, A., and Lash, S. (Eds), *Reflexive Modernization: Politics, Tradition and Aesthetics in the Modern Social Order* (ch1). Stanford University Press.

Brand, A. (1990). *The Force of Reason: An Introduction to Habermas' Theory of Communicative Action*. UK: Allen & Unwin.

Foucault, M. (1972). *The Archaeology of Knowledge*. New York: Pantheon Books.

Habermas, J. (1989). *The Structural Transformation of the Public Sphere: An Inquiry into a Category of Bourgeois Society*. UK: MIT Press.

課後心得

課後心得

第六章

東亞局勢的回顧與展望

陳銘傑

　　冷戰結束後，正當歐洲努力從二次世界大戰戰損中復原，東亞國家卻挾其豐厚而強勁的政經實力重新躍上世界舞台。美國《外交事務雙月刊》（*Foreing Affairs*）前主編賀奇（James F. Hoge）即指出，世界權力正加速從西方轉移至東方，而在經濟發展帶動東亞各國政治與軍事影響力擴張下，國際關係的挑戰及其因應方式將隨之出現變化（註一）。值得注意的是，目前東亞地區正呈現「對抗」與「發展」並存的複合態勢，亦即新舊安全問題持續對東亞各國國家安全構成挑戰之際，區域經濟整合同時提供東亞各國經貿合作的強健動能。針對此一複雜而矛盾的發展趨勢，本文將分別從傳統安全、非傳統安全以及區域整合等三個面向進行討論，以做理解當前東亞局勢發展的重要起點。

壹、傳統安全問題方面

　　與國力強弱的差異，均面臨著龐大的生存壓力。因此，即使一國純粹基於國防需要所進行的軍事準備，都會被視為危及周邊國家安全的舉動，反而引起他國跟進或尋求軍事同盟的自保現象，此即國際關係中「安全困境」（security dilemma）的概念，且往往以軍備競賽（arms race）收場（註二）。東亞地區長期存在複雜的主權衝突、領土爭議與民族仇恨，國家之間傾向於彼此不信任，以致於「安全困境」逐漸成為區域國家互動的主要特徵（註三）。而在「中國崛起」（rise of China）以及美國宣示「重返亞洲」（pivot to Asia）的權力碰撞下，新一輪大國政治角力正以「美中戰略矛盾」為軸心，並沿著「北韓核武問題」以及「領土主權爭議」二條主線漸次展開，共同形構出當前東亞傳統安全問題的現況（註四）。

　　首先是美中戰略矛盾的深化。美國國防部在《2013 年中國軍事與安全發展報告》中強調，中國正試圖建構出一支能夠投射力量至亞洲各地的軍隊，並將目標擴展到臺灣以外的地方（註五）。

事實上，美國跨黨派「美中經濟暨安全檢討委員會」（U.S.-China Economic and Security Review Commission, USCC）早在 2011 年的報告中即提出，近十年來中共國防預算每年平均增加 12.1%（2010-2011 年更高達 12.7%，約 915 億美元），而在對美「反介入」（anti-access）及「區域阻絕」（area-denial）策略下，持續提升隱形戰機、自製航母、彈道飛彈等軍事現代化能力，而美軍在亞洲的六個空軍基地中，烏山、群山、嘉手納、三澤、橫田等五個基地均已被涵蓋在其射程範圍內（註六）。StacyPedrozo 在美國國會聽證會的研究報告更警告，北京當局計畫 2000-2010 年間突破第一島鏈（沖繩島、臺灣以迄菲律賓）、2010-2020 年間控制第二島鏈（小笠原群島、關島以迄印尼），並於 2020-2040 年間以航空母艦終結美國在太平洋與印度洋的支配地位（註七）。Dan Blumenthal 更斷言，一旦爆發區域衝突，中國很可能會採取先發制人的戰術，率先摧毀美國及其亞太盟國的軍事設施（註八）。換言之，近年來中國海、空軍投射能力加速向外延伸，已直接動搖美國在亞太地緣政治上的支配地位，並陷入中方「反介入」與美方「反反介入」之間的戰略對抗（註九）。

再就北韓核武問題而論。自北韓政權宣稱獲得彈道飛彈與核武能力後，朝鮮半島危機隨即躍升為區域與國際安全問題。一般認為，北韓雖獲得大規模毀滅性武器（Weapons of Mass Destruction, WMD），但卻未發展出完整的 C4I 體系（指揮、管控、通訊、電腦和情報），所以更容易受到人為因素的影響，造成誤判、非授權與不預期發射等潛在危機。且北韓當局善於操作「戰爭邊緣」（brinkmanship）的談判手段，亦即將衝突升級至戰爭爆發邊緣，藉以迫使周邊國家對北韓做出有利的讓步，包括勒索經濟援助與民生物資（註十）。近期內值得關注的發展有三：其一，北韓在美國的極力防堵下不但順利發展核武，其飛彈技術研發也相當可觀，除可順利外銷利比亞、巴基斯坦等國，「大浦洞二號」射程更已涵蓋美國本土（註十一）。其二，北韓和中國迄今仍維持「中朝血盟關係」，

與俄羅斯亦保有過去共產國際的歷史連結,美方及其盟國必須正視中、俄、朝三者可能發展出同盟關係的潛在威脅;此一戰略互依關係在 2010 年天安鑑與延平島砲擊事件中特別明顯(註十二)。其三,金正日辭世後由其次子金正恩成為最高領導人,其執政之初給外界的溫和及改革形象,業已在 2012-2013 年一系列對南韓的強硬政策(特別是關閉開城工業區)以及威脅攻擊美國的談話中破滅,國際社會更由此憂心朝鮮半島無預警爆發戰爭的可能。

最後是領土主權爭議。東亞地區長期存在跨國領土與領海的主權爭端,而中國則是捲入最多爭端的國家,分別和俄國、印度、塔吉克、不丹、越南等國存在陸上邊界爭議,並和日本、南韓及東南亞國家存在領海或島嶼主權爭議(註十三)。陸上領土爭議方面,中國雖分別與俄國、印度、越南、塔吉克等國,持續就邊界問題進行對話與協商,並就劃界協定達成共識與初步協議,但離完全解決仍有一段距離。領海與島嶼爭端更是緊張,無論中日東海劃界與釣魚台問題、日俄北方四島(齒舞、色丹、國後、擇捉)爭議、日韓獨島(日本稱竹島)歸屬,還是南海主權爭端等,皆升高了區域國家之間政治與軍事的對立。特別是近年來中國積極加速軍事現代化及其航母能力,均讓區域內曾與中國發生主權爭端的周邊國家倍感威脅,深怕軍事能力的發展將助長其徹底解決領土問題的自信與決心。

貳、非傳統安全問題方面

非傳統安全係指「由非軍事因素所造成,並將直接影響或間接威脅本國發展、穩定與安全」的安全問題。冷戰結束後,國際社會對「安全」的定義,已由過去單純涉及軍事的相關事務,進一步擴大到政治、經濟、文化、社會、環境等各個領域(註十四)。回顧東亞地區非傳統安全的發展脈絡,主要要歸納為恐怖主義活動、跨國組織犯罪,以及環境安全威脅等三項議題。

　　首先，東亞地區的恐怖主義活動，仍以擁有全球最多穆斯林人口的東南亞地區最為活躍。911事件後，一種反映伊斯蘭極端主義情緒的「新穆斯林」正在印尼、馬來西亞和菲律賓等地興起，而且在東南亞出現了不少同情蓋達組織首領賓拉登（Osama bin Laden）的伊斯蘭基本教義組織（註十五）。此外，在美國及國際反恐聯盟的圍剿下，恐怖主義正以水平流散的方式擴大其活動範圍，從中東的阿富汗、伊拉克、葉門，再到東南亞的泰國、印尼、菲律賓，由而建構出一道「恐怖新月地帶」（Crescent of Terrorism），並促成了恐怖主義「在地化」的傾向（註十六）。具體事例，包括峇里島爆炸案、菲律賓民答那峨三寶顏與奎松市連環爆炸案、印尼雅加達萬豪酒店爆炸案，以及澳洲大使館炸彈攻擊事件等（註十七）。值得注意的是，賓拉登遭美國特種部隊擊斃後，恐怖主義組織並未隨之消失在人類歷史，反而間接促成了恐怖團體進行個別行動與網絡串連之發展，變得更加難以防範。

　　事實上，東南亞地區既是恐怖組織理想的安全庇護所，也是一個有利於招募與組建基地的重要據點。一方面，東南亞地區海岸線長且島嶼眾多，在目前相關國家還未形成有效的聯合邊境管制、海上巡邏、情報交流等防範機制下，管理相當困難（註十八）。另一方面，恐怖主義團體容易與當地分離運動組織、跨國組織犯罪網絡（走私毒品、販運人口、洗錢等）進行合作，藉以節省行動、後勤與訓練成本，同時提供躲避軍警追緝的窩藏處所（註十九）。例如：伊斯蘭祈禱團（Jemaah Islamiah, JI）與自由亞齊運動（the Free Aceh Movement 或 Gerakan Aceh Merdeka, GAM）均透過菲律賓的摩洛伊斯蘭解放陣線（Moro Islamic Liberation Front, MILF）來共同訓練新成員；GAM則與泰南叛亂團體北大年聯合解放組織（Pattani United Liberation Organization, PULO）聯合走私槍械，除有助於透過彼此的網絡進行跨國界活動，更能相互提供藏匿處所與後勤支援。此外，麻六甲海域猖獗的海盜活動，亦是恐怖主義與跨國組織犯罪結合的重要形式。

　　最後，諸如環境安全、衛生安全、能源安全等，亦是東亞地區非傳統安全威脅的重要一環。無論是印尼伐木與火耕造成的暖化及霾害現象、氣候變遷與極端氣候對國土安全的衝擊，抑或 2011 年福島核災對日本及其周邊國家生態環境和國民健康的危害，皆凸顯出環境安全對國家安全的重要性。衛生安全主要是指跨國傳染病對區域國家國計民生的威脅，重大事例包括 2003 年爆發的「嚴重急性呼吸道症候群」（SARS）疫情、近年來自東南亞迅速蔓延的禽流感、H1N1 及 H7N9 等新型流感、美國牛隻狂牛症病毒等，皆造成民眾健康威脅與心理上的恐慌。能源安全則是指涉能源的供給面而言，故其對工業大國的威脅，遠比中小國家來得迫切而重要。值得注意的是，非傳統安全威脅具跨國散佈的特性，雖然強國與小國受波及的機會相等，但富國與窮國因應非傳統安全的能力卻可能有天壤之別。

參、東亞區域整合的現況與挑戰

　　面對全球化帶給世界各國的機會與挑戰，「區域主義」（regionalism）提供區域各凝聚合作共識與陶塑共同體認同感的重要途徑，造就全球各地蓬勃發展的區域經濟整合以及自由貿易協定（Free-Trade Agreement, FTA）趨勢。目前東亞地區呈現「亞太主義」與「東亞主義」二股整合勢力對抗的現象：前者由美國主導，目的在透過亞太經濟合作會議（Asia-Pacific Economic Cooperation, APEC）來推動區域經貿合作，近期尤以歐巴馬（Barack Obama）政府推動「跨太平洋戰略經濟夥伴協定」（Trans-Pacific Strategic Economic Partnership Agreement, TPP）倡議最具代表性；後者則以東協（Association of South Eastern Nations, ASEAN）為軸心漸次展開，具體落實於東協加三（中、日、韓）、東協加六（中、日、韓、紐、澳、印）、中日韓 FTA，以及「區域全面經濟夥伴關係」（Regional Comprehensive Economic Partnership, RCEP）談判等經貿合作倡議（註二十）。

　　目前，「亞太主義」與「東亞主義」正以 TPP 與 RCEP 的形式進行對抗，東亞國家或選擇加入其中一方，或如新加坡、馬來西亞、越南、汶萊、澳洲、紐西蘭等國同時成為 TPP 和 RCEP 的正式成員。上述二大區域主義競合之態勢，實已提供東亞政經發展的新動能，其後續推動更攸關區域經貿整合的未來（註二十一）。

　　TPP 前身為「跨太平洋戰略經濟夥伴協定」（TPSEP），最初只是一項由新加坡、紐西蘭、汶萊和智利所發起的經貿協作機制；2008 年 9 月美國宣佈加入談判後，TPP 才開始受到國際關注，並於 2010 年 3 月展開第 1 回合談判。2011 年 11 月，美國於 APEC 領袖會議中促成「TPP 框架協議」（Broad Outlines），其目的在讓 APEC 議程全面回歸經貿層面的合作，以抗衡長期由中國獨佔東亞區域經濟整合的現象。換言之，推動 TPP 為美國重新融入並主導東亞政經事務的跳板，並與「重返亞洲」之戰略再平衡政策方向一致。除上述美國、新加坡、紐西蘭、汶萊、智利等五國外，馬來西亞、越南、澳洲、秘魯、加拿大、墨西哥等六國也已陸續參與 TPP 談判。據估計，目前 TPP 所有十一個會員國國內生產毛額（GDP）總和約占全球總額的 29.77%（高於歐盟的 25.23% 及 NAFTA 的 25.82%），貿易量亦達全球總量的 21%。

　　RCEP 則是在 2012 年 11 月召開的東亞峰會（EAS）部長級會議上正式提出。東協與中國、日本、南韓、印度、澳洲、紐西蘭等六個貿易夥伴國共同於會議上宣布，各國已就第 19 屆東協峰會所提出之 RCEP 協商原則與目標達成共識，並決定於 2013 年啟動 RCEP 談判。此一協定的重要性在於，RCEP 旨在提供整合東協和六個主要貿易夥伴之間既有的五項 FTA（東協－中國、東協－日本、東協－南韓、東協－澳紐、東協－印度）的制度框架，若能順利按原訂目標落實相關規畫，預估將成為人口約 30 億、GDP 加總逾 16 兆美元、占全球經貿產值三分之一，而僅次於 WTO 的 FTA（註二十二）。

因此，東亞各國不僅可藉此合作架構減輕傳統上對歐美出口市場的依賴，更可大幅提升區域內開發中國家之間貿易的質與量（註二十三）。

不諱言，TPP 與 RCEP 在加入門檻與談判內容存在明顯差異，而這些差異將是未來觀察二大集團後續發展的重點：TPP 旨在建構高標準的經貿集團，除消除關稅和非關稅障礙外，談判內容更涉及成員國內勞工權益、競爭政策、技術標準、原產地原則、政府採購、環保、金融、電信等議題，並要求包含敏感農業議題在內的100% 貿易自由化，頗有深化整合的味道（註二十四）。RCEP 則以納入所有區域經濟夥伴之 FTA 網絡為目的，因此在強調高度貿易自由化的同時，允許各國設置關稅例外措施以及較長的過渡期，並採「開放加入」（open accession）原則，任何與東協簽署 FTA 或其他經濟夥伴國都可參加（註二十五）。值得注意的是，不僅美國迄今未受邀參與 RCEP，中國大陸亦公開支持 RCEP 而對加入 TPP 意願不高。一般認為，當前亞太區域經貿整合所呈現的 TPP 與 RCEP 競合現象，正沿著美中對抗的戰略邏輯不斷發展。準此，美中經貿競合的格局儼然成形，並為東亞區域整合提供不同發展路徑的可能選項（註二十六）。

問題與討論

（一）東亞各國因應美中戰略對抗所採取之政策立場為何？向美國靠攏、依附中國，還是選擇腳踏兩條船？

（二）非傳統安全如何影響了東亞國際關係？國際組織及個別國家又採取了哪些因應措施？其具體成效為何？

（三）對區域國家來說中國崛起是國家安全的迫切威脅？還是促進經貿發展與區域整合的重要契機？

＊延伸閱讀

朱雲漢、賈慶國（主編）（2007）。《從國際關係理論看中國崛起》。臺北：五南。

張亞中（主編）（2007）。《國際關係總論》。臺北：揚智文化。

蔡東杰（2007）。《東亞區域發展的政治經濟學》。臺北：五南。

＊參考文獻

註一：James F. Hoge (2004). A Global Power Shift in the Making: Is the United States Ready ? *Foreign Affairs*, 83(4), 2.

註二：David M. Lampton and Gregory C. May (2000). *A Big Power Agenda for East Asia: America, China, and Japan*. Washington, DC: The Nixon Center; Victor D. Cha (2009 / 2010). Power Play Origins of the U.S. Alliance System in Asia. *International Security*, 34(3), 158-196.

註三：Thomas Christensen (1999). China, the U.S.-Japan Alliance, and the Security Dilemma in East Asia. *International Security*, 23(4), 49-80.

註四：Rosemary Foot (2006). Chinese Strategies in a US-Hegemonic Global Order: Accommodating and Hedging. *International Affairs*, 82(1), 77-94; David Shambaugh (2004 /2005). China Engages Asia: Reshaping Regional Order. *International Security*, 29(3), 64-95.

註五：US DoD (2010). Military and Security Developments Involving the People's Republic of China 2013. *Annual Report to Congress* (pp.29-43). Retrieved from http://www.defense.gov/pubs/pdfs/2010_CMPR_Final.pdf.

註六：USCC (2011). *2011 Report to Congress of the U.S.-China Economic and Security Review Commission* (pp. 155-160, 193-197). Retrieved from http://www.uscc.gov/annual_report/2011/annual_report_full_11.pdf; Roger Cliff, Mark Burles, Michael S. Chase, Derek Eaton, and Kevin L. (2007). Pollpeter. In *Entering the Dragon's Lair: Chinese Anti-Access Strategies and Their Implications for the United States* (pp.112). Arlington, VA: RAND Corporation; Paul Dodge (2004). Circumventing Sea Power: Chinese Strategies to Deter US Intervention in Taiwan. *Comparative Strategy*, 23, 391-409.

註七：Stacy A. Pedrozo (2011). *China's Active Defense Strategy and its Regional Impact*, Testifies before the House of Representatives U.S.-China Economic and Security Review Commussion. Retrieved from http://www.cfr.org/china/chinas-active-defense-strategy-its-regional-impact/p23963.

註八：Dan Blumenthal (2010). Sino-U.S. Competition and U.S. Security: How Do We Assess the Military Balance? *NBR Analysis*. Retrieved from http://www. aei.org/docLib/A10-Sino-US-Competition.pdf.

註九：蔡明彥（2008）。〈美國東亞軍事優勢地位的挑戰：中國「反介入」與美國「反反介入」的角力〉。《全球政治評論》，21，61-82；Lyle Goldstein and William Murray (2004). Undersea Dragons: China's Maturing Submarine Force. *International Security*, 28(4), 161-196; James R. Holmer and Toshi Yoshihara (2005), The Influence of Mahan upon China's Maritime Strategy. *Comparative Strategy*, 24, 23-51.

註十：Daniel Byman and Jennifer Lind (2010). Pyongyang's Survival Strategy: Tools of Authoritarian Control in North Korea. *International Security*, 35(1), 44-74.

註十一：David C. Kang (2003). International Relations Theory and the Second Korean War. *International Studies Quarterly,* 47(3), 301-324.

註十二：Deborah Welch Larson and Alexei Shevchenko (2010). Status Seekers: Chinese and Russian Responses to U.S. Primacy. *International Security*, 34(4), 63-95.

註十三：Jianwei Wang (2003). Territorial Disputes and Asian Security, management, and Prospects. In Muthiah Alagappa (Ed.), *Asian Security Order* (pp.384). Stanford: Stanford University.

註十四：Barry Buzan (1991). New Patterns of Global Security in the Twenty-First Century. *International Affairs*, 67(3), 431-440.

註十五：Angel M. Rabasa (2003). Political Islam in Southeast Asia: Moderates, Radicals and Terrorists. *Adelphi Paper*, 358, 7-8. London: International Institute for Strategic Studies.

註十六：AjaiSahni (2003). The Locus of Error: Has the Gravity of Terrorism 'Shifted' in Asia? In RohanGunaratna (Ed.), *Terrorism in the Asia-Pacific: Threat and Response* (pp.6). Singapore: Eastern Universities Press.

註十七：劉復國（2010）。〈東南亞恐怖主義對亞太區域安全影響之研究〉。《問題與研究》，45(6)，79-106；陳佩修（2010）。〈東南亞的恐怖主義演進與安全形勢變遷〉。《台灣東南亞學刊》，7(2)，63-84。

註十八：Barry Desker and ArabindaAcharya (2004). Targeting Islamist Terrorism in Asia Pacific: An Unending War. *Asia Pacific Review*, 11(2), 60-80; AmitavAcharya and ArabindaAcharya (2007). The Myth of the Second Front: Localizing the 'War on Terror' in Southeast Asia. *The Washington Quarterly*, 30(4), 75-90.

註十九：Peter Chalk (2001). Separatism and Southeast Asia: The Islamic Factor in Southern Thailand, Mindanao, and Aceh. *Studies in Conflict & Terrorism*, 24, 241-269; Barry Desker and Kumar Ramakrishna (2002). Forging an Indirect Strategy in Southeast Asia. *The Washington Quarterly*, 25(2), 161.

註二十：宋興洲（2005）。《動態的東亞經濟合作：理論性爭辯與實踐》（頁 60-75）。臺北：鼎茂圖書。

註二十一：HidetakaYoshimatsu (2012). ASEAN and Evolving Power Relations in East Asia: Strategies and Constraints. *Contemporary Politics*, 18(4), 410-411.

註二十二：田起安（2013）。〈簡析 RCEP 未來發展之挑戰〉。《經貿法訊》，142，2。

註二十三：ASEAN Secretariat (2012). ASEAN and FTA Partners Launch The World's Biggest Regional Free Trade Deal. ASEAN Secretariat News. Retrieved from http://www.asean.org/news/asean-secretariat-news/item/asean-and-fta-partners-launch-the-world-s-biggest-regional-free-trade-deal. Latest update: 2013/4/5.

註二十四：tephen J. Ezell and Robert D. Atkinson (2011). Gold Standard or WTO-Lite?: Shaping the Trans-Pacific Partnership. ITIF Report (pp. 1-15). Retrieved from http://www.itif.org/files/2011-trans-pacific-partnership.pdf. Latest update: 2013/4/1.

註二十五：Ian F. Fergusson, William H. Cooper, Remy Jurenas, and Brock R. Williams (2013). The Trans-Pacific Partnership Negotiations and Issues for Congress. *CRS Report for Congress*, R42694 (pp. 3-8). Retrieved from http://www.fas.org/sgp/crs/row/R42694.pdf. Latest update: 2013/4/5.

註二十六：Masahiro Kawai and GaneshanWignaraja (2013). Political-Economy Considerations of Asian Free Trade Agreement. *Policy Studies*, 65, 42-54.

課後心得

課後心得

第七章

當代科技新知

陳銘傑

壹、科技來自於人性

　　人類知識的發展與演進快速，隨著時代進步有著驚人的累積成果。有句手機的廣告台詞說的好「科技始終來自於人性」，人類因為生活的種種需求而造就知識的累積與科學技術不斷進步，終於使人類生活獲得大幅改善與便利。科學，總是以學以致用為出發點，而世界的進步，多是為解決人類迫切的生存問題。過去科學家們透過觀察大自然的發現與各種發明促進人類的科學演進，從電的發現到現今電腦通訊與網路資訊技術的無遠弗屆超乎想像。舉一個例子，燈泡，因為好奇心的驅使與生活中的需要，愛迪生發明了燈泡，從此人類不再有黑夜。而燈泡自從 19 世紀問世以來，改變了人類現代文明的生活型態。一直到了 21 世紀，全球暖化與環保議題發酵，綠色照明逐漸受到重視，以追求地球生生不息的永續發展。隨著白熾燈泡逐漸走入歷史，發光二極體（light-emitting diode，簡稱LED）成為最被看好的科技照明，並且為照明產業的應用領域開創新的契機。再者，全球暖化的問題與環保意識抬頭，加上石化資源的耗盡，各種有關能源與節能科技的發展與發明日新月異，例如各種利用天然資源的發電、油電混合動力車船等等。由於科技使交通發達，世界的距離變近，各種新發現的病毒與人類疾病遺傳問題使醫學生物科技進步。天災的發生和預警與外太空探索更是人類一直追尋的答案。進化論的昨天和今天、病毒的演化、站在十字路口的轉基因、行走在地球兩端、目擊全球氣候變化、應對氣候變化和發展低碳經濟、世界能源的未來、日蝕奇觀、科技與城市未來等等。世界快速步入知識經濟的此刻，科技已取得前所未有的關鍵地位。一方面，科技成為經濟發展的主要動力與國家競爭力的泉源；另一方面，科技高速變遷為社會文化、個人生命及環境生態帶來無數的挑戰，由科技所引發之社會、文化變遷更成為現代社會的核心公共議題。科技已不再是科學家的專有領域，一般人也可以透過發明來改進人類生活，身為現代人更應該對當代的科技與新知有所瞭解。

貳、科技與船舶節能減碳研究實例

近年來地球暖化越來越嚴重，一次次極端氣候一再地警醒我們，人類對地球環境的破壞如果再不踩剎車，只怕大自然的反撲會一次比一次嚴重！節能與減碳如果要立竿見影，屬於大耗能的船舶自然成為重點對象。並且一艘船的生命周期一般長達 20 年以上，在維護海洋環境和降低全球溫室氣體的排放上，長期所累積的效益相當可觀！而綠色航運的定義是什麼呢？沿用碳足跡的觀念，就是在船舶的生命周期內，從造船開始，包含船型、設備、系統的選擇和規畫就要考慮節能與環保設計。更重要的是一艘船的使用壽命長達2、30 年，因此在船舶的營運上，需要考慮綠色經營策略以節能減碳。這當中就包含了貨物運輸的航線及裝卸貨規畫、航路的氣象修正等的規畫和安排，以管理的方式來實現船舶營運的綠化。在實現綠色航運的各種措施上，約可歸納為三大類：技術面、營運面和市場機制。技術方面以各種可能的設計方式來降低船舶的能源消耗，減低船舶的汙染排放和溫室氣體排放。營運方面是透過各種營運管理的措施，來實現船舶營運節能、減碳與減排。至於市場機制，則以國際海運溫室氣體減排措施為重點，包含碳稅的徵收以及碳排放交易機制的策略運用等，來誘導和約束船運執行節能減碳。

船舶中大多配備有電動機等電感性設備，諸如甲板機械：包括舵機、錨機、絞盤機等裝置，又如機艙設備：如滑油泵、海水泵、淡水泵、冷卻泵、燃油輸送泵、鼓風機、空壓機、消防泵、壓載泵、艙底泵等輔機設備。由於上述電感性負載會在船電系統中產生許多滯後的無效電力，此無效電力亦是一種電力損失。根據調查資料顯示，大部分漁船用電系統之功率因數約為 0.3-0.7 落後，此數值相當低，而會無形中造成線路損失或降低系統穩定度等問題。所以，若能提升用電系統之功率因數將可有效減少發電機輸出功率之損失，進而提升系統容量、減少線路損失與增進系統穩定度，意

即可減少燃油、發電機設置容量與線路等成本。因此，功率因數之改善實為現代船舶節能減碳與環保綠能中不可輕忽的方法之一。再者，據調查顯示船舶的 CO_2 排放量是飛機的 2 倍，國際海事組織（IMO）也說明在 2007 年時全球有 3.3% CO_2 排放來自於遠洋船舶，該組織更進一步自 2013-2024 年間逐步在 EEDI 及 EEOI 中監控限制新舊船舶的排碳量。由於船舶航行中推進主機及發電機會因主機引擎運轉燃燒石油而排放大量 CO_2 廢氣，所以只要能有效提升引擎效率減少油耗同時也可減少 CO_2 排放量，將對船舶經濟成本及溫室效應產生極大貢獻。在船舶發電機部分透過提升功率因數就可以達到提升效率，進而減少油耗及碳排放的目的。本研究針對我國船舶電力系統功率因數不佳之問題進行理論分析，並於漁船上實際裝設虛功補償器，用以驗證功率因數提升後之效益，進而分析節能之成本效益與回收年限。經驗證本電力節能系統不僅可增加電力系統穩定度、釋放系統容量、降低電流值，更可以節省燃油消耗，進而達到減少碳排放的效果，對減緩地球暖化有所助益。下圖為裝設船舶與電力節能系統外觀圖。

圖 1   圖 2

參、科技與生活實例

我們的生活中與科技也是息息相關，我們特別舉了三個例子來說明科技與生活的緊密程度，分別是 4K、達文西手術以及 4G。

最近常常提到的 K 解析度（4K resolution）是種新興的數位電影及電腦視訊的超高解析度標準的面板，解析度有 3840×2160 和 4096×2160 畫素兩種規格。「4K」的名稱得自其水平方向的畫素數。4K 顯示面板採用氧化物薄膜電晶體製作，具備高速電子移動速度，呈現畫面內容具高解析度及薄邊框，呈現超薄質感，可使電視機更輕薄，畫面更為細緻。這是更新一代的顯示技術科技與生活結合的呈現。

達文西，不是一位藝術家嗎？在現今醫學發達的年代達文西手術系統也是外科手術的革命和未來。過去微創技術上存在著許多的缺點，特別是手術器械的設計提高了醫師施行手術的難度及手術的風險。而結合了美國太空總署（NASA）、國防部和眾多大學開發的先進科技，達文西手術系統突破過去微創技術的困難，讓醫師可直接看到三維立體影像，並操控機器手臂上的仿真手腕手術器械，運用如同開腹手術一樣自然的操作方式，提供給病人最好、最精細的治療結果。就心臟手術而言，能夠不將胸骨鋸開，只利用 3-4 個 5-10mm 的微型傷口即可進行手術，對病人而言確實是一大福音，也是醫學領域一大進步。

1G、2G、3G 是什麼，而第 4 代行動通訊技術（the fourth generation of mobile phone mobile communication technology standards，縮寫為 4G）又是什麼。是 3G 之後的延伸。從技術標準的角度看，是靜態傳輸速率達到 1Gbps，用戶在高速移動狀態下可以達到 100Mbps，就可以做為 4G 的技術之一。通訊的 4G 意味著更多的參與方，更多技術、行業、應用的融合，不再侷限於電信行業，還

可以應用於金融、醫療、教育、交通等行業；通訊終端能做更多的事情，例如除語音通訊之外的多媒體通訊、遠端控制等；或許區域網、網際網路、電信網、廣播網、衛星網等能夠融為一體組成一個通播網，無論使用什麼終端，都可以享受高品質的資訊服務，向寬頻無線化和無線寬頻化演進，使 4G 滲透到生活的方方面面。所以科技不再遙不可及，它是在你我的生活周遭的一部分。

肆、當代科技的分類與認知

根據我國行政院國家科學委員會針對學術的分類概分如下：生物農醫、人文及社會科學、自然科學、工程技術以及科學教育等六大類。其範圍含括動植物、農林漁牧、醫學生理、理工、自然天文、財務、心理、文學、宗教、社會、語言、教育等，可謂非常遼闊，每一個領域都是非常專業的知識累積。本課程希望學生透過探究各領域的發現與科技新知，讓學生瞭解專業領域的知識外，也能學習其他領域的科技新知與對人類生活影響。經由本課程，期使學生應達到能定義與瞭解何謂科學技術新知與能認知自然科學、天文探索、生物醫學、軍事科技、電腦資訊、環境科學、能源技術等科學相關科技新知。並且具備能說明各領域科學技術發展演進、現況與未來發展與能理解並適應新科技與新發現對人類生活的影響。

分組討論參考

（一）癌症、糖尿病、高血壓

（二）病毒、整型醫學、電子助聽器

（三）火山、恐龍、小行星

（四）光纖、超導體、陶瓷

（五）電動車、太陽能、水力發電

（六）摩天大樓、海底隧道、高速鐵路

（七）核能發電、海嘯、地震

（八）智慧手機、電子白板、飛行模擬器

＊參考書目

《科學月刊》。臺北市：科學月刊雜誌社。www.scimonth.com.tw。

黃道祥（2013）。〈綠色航運〉。《科學發展》，482，60-67。

《時代雜誌》。新北市：經典傳訊。

《國家地理雜誌》。臺北市：秋雨文化。

國家科學委員會：http://stn.nsc.gov.tw/view_list.asp?KIND_NO=A03

維基百科：http://zh.wikipedia.org/wiki/4G、http://zh.wikipedia.org/wiki/4K

醫療與人工智慧的結晶達文西手術系統 http://www.chimei.org.tw/davinci/index.html

＊延伸閱讀

上海科技館（編）（2013）。《科普大講壇：從進化論到能源未來》。上海：上海科學技術出版社。

何道寬（譯）（2010）。《科技奴隸》（原作者：尼爾・波斯曼）。臺北：博雅書屋。

耿建興、汪殿杰（2010）。《生活科技》。臺北：新文京。

嚴麗娟（譯）（2012）。《科技想要什麼》（原作者：凱文・凱利）。臺北：貓頭鷹。

課後心得

課後心得

第八章

林春福

基因改造作物與動物

學習重點

1. 瞭解何謂遺傳物質及基因改造。

2. 瞭解人類進行動植物基因改造之目的。

3. 瞭解基因改造作物。

4. 瞭解基因改造動物。

5. 反思基因改造動植物對未來的影響。

　　生命源於自然，亦或源於上帝。然而自人類在 1953 年解開生命遺傳物質──DNA 之結構後，原藏於潘朵拉之盒中有關生命的秘密，就此被揭示開來（圖 1），於是人類正一步步嘗試扮演並扮演好上帝的角色，進行新生命體的創造。原「生命的意義在創造宇宙繼起之生命」也因此而有新的註解。

　　究竟新生命體要如何被創造呢？本單元將引領你學習基礎生物科技技術之原理，讓你一窺未來世紀新生命誕生之面貌。首先，無庸置疑的生物科技的的確確是一門有趣的科學，也是一門可怕的科學。自從人類透過對細菌（bacteria）、噬菌體（bacteriophage）及病毒（virus）等簡單生命體（圖 2）之長期研究後，已徹底瞭解 DNA、RNA 及蛋白質之結構，並已有能力靈活運用可供專一性剪接 DNA 的一群酵素，再加上抗藥基因之發現，進而使人類能善用以上之奈米工具建構出用於選殖（cloning）DNA 之載體（vector），至此，人類具備進行跨物種基因選殖之能力終於達成。這就好比訓練有素的影片剪輯師，將劇情中充滿各種情節之基因，剪輯成一部科幻片，正如《侏羅紀公園》存在於失落的世界中一樣；但這位影片剪輯師，如恰巧也是一位熟悉生物科技之頂尖狂熱研究人員，或許再現侏羅紀於未來世紀的地球也不無可能。

　　故對恐龍再現或新物種等高等生物體之誕生，似乎正缺臨門一腳，而這一腳便是基因轉殖技術（transgenic technology）之成熟，即將 A 物種之部分遺傳物質透過生物科技技術轉殖至 B 物種內，並對 B 物種造成一定的影響。換言之，如果人類的世界，真的需要蜘蛛人（spider man），那麼何不先利用動物來試試看呢？先製造隻蜘蛛羊（spider goat），你覺得如何？人類只要從蜘蛛身上選殖出蜘蛛絲蛋白基因，再轉殖至山羊體內，就能製造出蜘蛛羊了，並且蜘蛛絲能從山羊乳汁中分泌出來[1] 因此，似乎要製造出蜘蛛人並不困難。這樣驚人的技術究竟是從何而來？對人類的未來會造成何種影響呢？的確是當代人類必須透過新視野來好好審視的重要議題。

圖 1　揭示 DNA 結構的二位科學家
華生（左）與柯立克（右）

---

[1]　參考來源：Mixing Spiders with Goats to make bullet proof vests??【影音資料】。取自 https://www.youtube.com/watch?v=ncWCmJ4L57A。

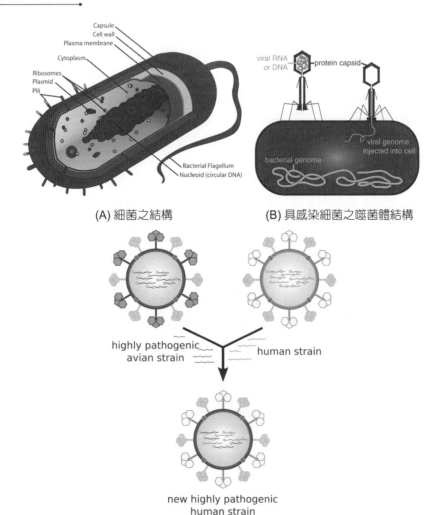

(A) 細菌之結構

(B) 具感染細菌之噬菌體結構

(C) 具感染禽類及人類之流感病毒間的基因重配

圖 2

(A) 細菌之結構（圖片來源：維基百科 https://upload.wikimedia.org/wikipedia/commons /5/5a/Average_prokaryote_cell-_en.svg，屬公有領域合理使用）；

(B) 具感染細菌之噬菌體結構（圖片來源：維基百科 https://upload.wikimedia.org/ wikipedia/commons/2/29/Phage_injecting_its_genome_into_bacteria.svg，屬創用 CC 授權合理使用）；

(C) 具感染禽類及人類之流感病毒間的基因重配（gene reassortment）現象（圖片來源：維基百科 https://commons.wikimedia.org/wiki/File%3AInfluenza_geneticshift.svg，屬創用 CC 授權合理使用）。

壹、基因轉殖的歷史

　　基因轉殖的歷史，最早始於 1983 年有關根瘤土壤桿菌感染植物後導致植物形成腫瘤的研究，科學家在該細菌體內發現一種致腫瘤質體（tumor inducing plasmid, Ti plasmid）具有轉殖至植物染色體內之能力，同時間也發現抗生素之抗藥基因可做為基因轉殖作物之篩選標誌。因此，透過基因選殖的技術改造該質體，便能承載特定外來基因轉殖至特定作物之染色體內，這項技術徹底顛覆傳統植物雜交育種技術（此為生物學家孟德爾始料未及之事，圖 3），不僅能將抗殺草劑、抗旱、抗凍、殺蟲等基因轉殖至作物染色體，並且也能透過「反義 RNA 技術」透過基因轉殖至作物染色體內以延緩作物

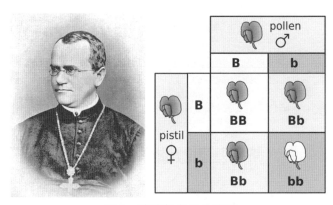

圖 3　遺傳學之父孟德爾
（圖片來源：維基百科 https://upload.wikimedia.org/wikipedia/commons/3/36/Gregor_Mendel_Monk.jpg，屬公有領域合理使用）及其遺傳定律（圖片來源：維基百科 https://upload.wikimedia.org/wikipedia/commons/1/17/Punnett_square_mendel_flowers.svg，屬創用 CC 授權合理使用）

過度熟化（圖4）。這項跨物種之基因轉殖技術在目前已至爐火純青之地步，正考驗人類下一步怎麼往下走，故人類要繼續扮演「上帝」的角色嗎？還是要取而代之呢？如此下去對地球上的生物究竟會帶來怎樣的衝擊？這些都是當代全人類得去思維的重要問題。

圖4　第一個基因改造之莎弗蕃茄，能維持長時間（至少四週）不會腐壞（圖片來源：維基百科 https://upload.wikimedia.org/wikipedia/commons/0/06/Tomatoes_ARS.jpg，屬公有領域合理使用）

貳、基因改造作物與動物

一、基因改造作物

　　根據聯合國一份說明聲稱：「由於地球人口之遽增，未來的世界將導致人類糧食短缺」，因此，從事作物基因改造之營利團體，便堂而皇之認為人類未來只有發展基因改造作物，才是唯一解決糧荒危機之處方。但事實的真相，究竟如何？真的是人口過多，導致糧食不足嗎？還是公平與正義蕩然無存，造成糧食分配不均，才是導致糧食不足的真正原因？我們知道在資本主義盛行的國家裡，浪費

食物的問題，屢屢遭人詬病[2]。上述不爭的事實，乃值得大家好好省思。根據聯合國糧食及農業組織（FAO）之資料顯示，目前全球所生產的糧食為全球人口的一倍半，但平均每 7 個人當中，至少有 1 人長期處於飢餓狀態，由此再次驗證人類飢荒問題係在於糧食分配不均所導致，而非糧食不足。

此外，公共電視所製作的節目《我們的島》，以基改作物大解密為議題[3]及民視新聞部製作之節目《X 檔案》，以食品怪物之基因改造農作物[4]等，均深入淺出談論有關基改作物對我們的影響。

基因轉殖作物又稱為基改作物（genetically modified crops, GMC），其所生產供人類或動物食用之食物，便稱為基因改造食品（genetically modified foods, GMF）。由於 GMC 已被人類藉由基因轉殖技術改良其特性而具有生長快速、抗蟲害、抗病害、抗除草劑、抗寒害、抗旱等等優勢，而 GMF 則具有高產量及高營養價值、抗腐敗、耐運送及利於加工等特質，使得基改作物自 20 世紀起，儼然成為新興發展的科技產業。故整體而言，基改作物的好處為：(1) 增加作物單位面積之產量；(2) 解決糧食短缺問題；(3) 減少農藥之使用量；(4) 節省生產成本；(5) 提升食物營養價值；(6) 物美價廉等，可促進農業生產效率，帶動相關產業發展。

但 GMC 的誕生，似乎是違反自然法則，當我們所吃的食物均屬於 GMF 時，究竟會對我們造成怎樣的影響呢？首先，令人類最擔心的事情是，長期吃 GMF 安全嗎？我們需要好好來審視一番。以下就 GMF 對於人類造成的影響說明如下：

---

[2]　參考來源：《一盤炸雞：兩個世界》【影音資料】。取自 https://www.youtube.com/watch?v=N0-KX9G_wsw。

[3]　參考來源：https://www.youtube.com/watch?v= Fgk9PFSD XZA。

[4]　參考來源：https://www.youtube.com/watch?v=b5MI6zHBF4I。

1. 屬於抗蟲之毒素可能殘留人體，長期將導致免疫力下降，難以對抗病原入侵，或細胞有癌化之風險。

2. 引起過敏的問題。當 GMC 含有其他作物之過敏基因時，容易出現誤食而導致過敏發生，如所引起的過敏屬於全身性即發型過敏，有導致死亡之可能。例如：將巴西堅果之基因轉殖入大豆中，致使對堅果過敏之民眾，因吃了此種基改大豆而引發過敏。

3. 標誌基因所導致影響用藥安全問題。已知多數 GMC 在標的基因選殖階段，需應用抗藥性基因為標誌基因，當長期吃入 GMF 後，可能導致抗生素之作用失效，如 kanamycin 及 ampicillin 類藥物。

二、基因改造動物

在電影《千鈞一髮》影片中，預知未來的世紀，在地球上的人類將區分為二類，一類為基因優化人種，另一類則屬於自然生產的非基因優化人種，基因優化人種可從事高科技人員、工程師、太空人、醫生等等行業，而非基因優化人種，可從事的工作如清潔工、垃圾清運員等等。

當這樣的世界尚未來臨前，我們得想想這是大家想要的選擇嗎？當一對父母有能力選擇自己愛的結晶來到世上前，將不優的基因剔除，換上優的基因，試問有哪一對父母不願意呢？基因替換技術是怎樣的一種生物科技？讓我們就從基因改造動物開始談起吧！

產製基因改造動物，目前主要透過四種重要技術來達成：(1) 顯微注射（micro-injection）技術[5]；(2) 應用胚胎幹細胞之基因剔除（gene knockout）技術；(3) 反轉錄病毒載體之基因治療（gene therapy）技術；(4) 酵母菌人工染色體（yeast artificial chromosome, YAC）技術等。其中顯微注射及基因剔除技術，為目前產製基因改造動物相當純熟的重要技術，茲簡述如下：

---

[5]　參考來源：https://www.youtube.com/watch?v= h-Bfc1GPWpE。

（一）顯微注射技術

　　顯微注射乃選取正受精中的卵子，此時精子細胞核與卵子細胞核尚未融合，故以顯微注射針刺入精子細胞核內，並將外來基因注入其中（圖 5A），當外來基因（螢光蛋白基因）嵌入受精卵的染色體後，一旦能發育成為完整的個體，即生產出基因改造魚類（螢光魚）（圖 5B）。

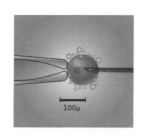 

(A) 應用顯微注射技術法　　(B) 產製基因改造魚

圖 5

(A) 應用顯微注射技術法（圖片來源：維基百科 https://upload.wikimedia.org/wikipedia/commons/0/04/Microinjection_of_a_human_egg.svg，屬創用 CC 授權合理使用 ）

(B) 產製基因改造魚（圖片來源：維基百科 https://upload.wikimedia.org/wikipedia/commons/f/f2/GloFish.jpg ）

（二）基因剔除技術

　　此種技術為產製疾病動物模式（disease animal model）最常使用的方法，特別是產製類似人類遺傳性疾病之基因轉殖小鼠。由於該技術能專一性剔除小鼠染色體中特定的基因，例如：剔除第八凝血因子之基因，便能輕易產製如罹患人類血友病之小鼠，如此，將提供醫學對於許多人類疾病研究之重要訊息。該技術乃使用位於囊胚期（blastocyte）之受精卵，此階段發育之受精卵，已分裂出許多胚胎幹細胞（embryonic stem cells, ES cells），這些 ES cells 屬於多潛能幹細胞，每個 ES cell 具有分化為獨立生物個體之能力。

　　首先，將取得之 ES cells 藉由轉染技術（transfection），送入外來基因，再利用 DNA 同源重組（DNA homologous recombination）技術，進行特定基因之重組，便可輕易剔除原本位於特定位置之小鼠基因，再將該 ES cells 以顯微注射方式送入另一個囊胚，最後移至代理孕母之輸卵管中繼續發育（圖 6）。

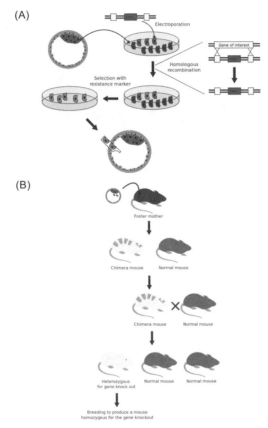

圖 6　產製基因剔除小鼠之流程（A 和 B）
（圖片來源：維基百科 https://upload.wikimedia.org/wikipedia/commons/
b/bf/Knockout_mouse_production_2.svg，屬創用 CC 授權合理使用；
https://upload.wikimedia.org/wikipedia/commons/f/f3/Knockout_mouse_
breeding_scheme.svg，屬公有領域合理使用）

　　藉由以上技術之應用，目前已問世之基因轉殖動物包括：轉殖鼠、轉殖雞鴨、轉殖魚、轉殖昆蟲、轉殖豬、轉殖羊、轉殖牛及轉殖猴等等。其中，轉殖鼠及轉殖魚主要做為醫學研究之用途，如胚胎發育、心血管發育、人類疾病動物模式、癌症等等；而轉殖豬、牛、羊，則用於產製人類需要的蛋白質藥物，例如：紅血球生成素、血紅素、凝血因子、乳鐵蛋白、促進血栓溶解之組織纖維蛋白溶酶原激活劑（tissue plasminogen activator, TPA）等等。由此豐碩研究成果之展現，可預期未來的世界將有更多且更複雜的基因改造作物與基因轉殖動物來到世上，甚至不排除基因轉殖黑猩猩或人類也可能降臨地球，如同《千鈞一髮》這部電影所描繪的一樣，因此，好好深思熟慮我們的未來吧！

參、社會及倫理問題

　　基因轉殖技術將把我們引向何方？人類應用這樣的技術是在創造一個伊甸園嗎？亦或這種科學能力，將對地球帶來空前的劫難呢？很清楚的，人類會在這場分子革命中獲得許多利益，但其潛在的危險是什麼？就讓我們好好審視一下，這場分子革命所出現的社會及倫理問題。

　　首先，人類是否有權力擅自改變其他生物的遺傳物質，進而影響這些物種的演化，雖然以人類的角度來看，好像我們正應用基因轉殖技術來改良這動植物，但若換個角度來看，長期的影響是好是壞，實令人憂心。就好像我們創造出可以抵抗病原感染的基因轉殖作物，但從此以後，這些作物就能永遠健康嗎？這樣的情節正如一次大戰後，弗萊明發現青黴素一樣，人類天真的認為以後再也不怕病原菌感染一樣，但事實證明，病原體也會發生演化，直到今日，因人類濫用抗生素的結果，導致超級抗藥性菌株產生，幾乎呈現無藥可醫的窘境。試想，我們該好好嚴格管控藥物使用，還是我們也要變成可以抵抗各種病原感染的基因轉殖人類呢？

　　當這些基因改造作物與其親緣相近的野生型植物雜交後，又會出現怎樣的後果呢？特別是當抗除草劑之基因水平散播給野生植物時，極可能不怕除草劑的雜草從此蔓延，終導致除草劑失效，這樣的情形正悄悄的在地球某處上演著，如何令人相信基因改造作物只有好處而沒有壞處呢？

　　2011 年先進細胞科技公司（ACT），首次宣佈他們已經複製出一個人類胚胎而震驚全世界，該公司實驗的真正目的為透過此技術來產生人類胚胎幹細胞，以做為分化成各種組織或器官，供做為醫療之用途。雖然這項尖端研究成果令人類值得驕傲與喜悅，但其失敗過程中，究竟耗費了多少人類胚胎細胞，這樣的黑暗面，又有誰知道呢？正如第一隻被人類複製成功的桃莉羊一樣，可是耗費了 277 次的努力才得以成功，但這樣的動物很快便出現老化、肥胖、關節炎等情形，故當有人因此而沾沾自喜時，也該捫心自問，這樣的技術只是要證明人類有朝一日也可能扮演上帝外，究竟還得到什麼？

　　身為地球公民的一分子，我們必須學會自我教育、自我省思的能力，而非人云亦云，隨波逐流。做好準備，當這些相關議題迎面而來時，自我方能針對議題，適時發表意見並做出最好的判斷，公民社會已經來臨，大家都有權利與義務去捍衛未來世界的公平與正義。

課後心得

課後心得

第九章

食品安全與糧食危機

李孟娟

學習重點

1. 重新審視我們吃的東西，如何生產？從哪裡來？
2. 瞭解當前的全球糧食危機。
3. 正視未來臺灣的糧食安全問題，審視政府的糧食安全政策。

壹、當前的全球糧食危機

　　從 2008 年發生了全球糧食危機至今，相信我們每個人都因食物價格的飆漲，深切的感受到了，未來我們需要花更多的錢買食物嗎？在 2008 年，當時俄國與印度等 18 個國家為避免國內斷糧危機，開始限制糧食出口，導致當時全世界穀物交易市場幾乎停擺，也導致埃及等十幾個國家因缺糧發生暴動與示威。到了 2010 年夏天，全球主要穀物生產區又因各種水旱災，導致全世界食物儲存量再度下降。這讓我們知道，全球氣候的不穩定，使得糧食危機隨時會發生。

　　另一方面，全世界人口最多的兩個國家，中國和印度，因為經濟迅速發展，而增加其肉食量，導致人類與牲畜的穀物量大減；美國、歐盟與巴西持續利用生質燃料，包括原本要出口的玉米、菜籽與棕櫚油，這些無疑都是雪上加霜。

　　因全球糧食儲存量偏低，各國開始管制糧食出口，印度 2007 年宣佈限制稻米出口；阿根廷宣佈提高主要農產品出口關稅；中國宣佈取消小麥、稻穀、玉米、大豆等出口退稅，中國、印度與阿根廷都是全球重要的糧食出口國。接著俄羅斯也跟進宣佈提高小麥出口關稅，歐盟 27 國暫停徵收大多數穀物的進口關稅，摩洛哥也跟進降低小麥進口關稅。2008 年 3 月在 1 天內泰國米價報價漲幅高達三成，在僅僅 1 個月內，至少 18 個國家限制或禁止穀物出口。

此時，偏低的國際存糧成了極佳的炒作標的物，400 億美元湧入國際農產品期貨市場，因而推高國際小麥的出口價格近 130%、稻米增長 98%、燕麥上揚 38%。此外，五大公司控制全球九成的穀物貿易，全球三十大食品公司控制全世界三分之一的食品通路，貿易商的壟斷，導致糧食的主要利潤都屬於貿易商與通貨商，而生產者則普遍是被剝削與壓迫，在拉吉‧帕特爾《糧食戰爭》一書中就描述在印度、非洲、墨西哥等的農民悲歌。

貳、現今的食物體系

在此我們以咖啡為例來說明，全球的咖啡農普遍都是僅能活在糊口邊緣，且工作的筋疲力竭的底層農民，以非洲的烏干達為例，咖啡農以每公斤 14 美分的價格賣給當地中間商，中間商以每公斤 19 美分轉賣給咖啡加工廠，加工後的咖啡經過袋裝加上運費運到首都坎帕拉，此時價格已到每公斤 26 美分。等咖啡運抵倫敦西部雀巢公司咖啡處理廠時價格已到每公斤 1.64 美元了，已經是咖啡種植者所拿到價錢的 10 倍之多，當咖啡經過烘焙，價格升至每公斤 26.4 美元，是烏干達咖啡農所拿到錢的 200 倍之多。

在拉吉‧帕特爾《糧食戰爭》特別說明我們的食物體系就像一個沙漏，最底層與最頂部的食物生產者與食用者人數眾多，而最中間的瓶頸即代表權利集中在極少數的人手上，現今世界上只有為數不多的幾家企業買主與賣主，也只有擁有足夠資本的少數人才能擁有這權利。

讓人憂心的是，現今全球的食物是無國界的，許多國家都高度仰賴進口食物，臺灣就是高度仰賴進口食物的國家，臺灣的糧食自給率（food self-sufficiency）僅 31%，在 2008 那年，就因進口物價指數較前一年同月上漲 26%，使臺灣當時消費者物價指數年增率高

達 4.23%。鄰近的日本，和我們一樣是低糧食自給率的國家，但日本政府已經警覺並開始提出政策，要在 2030 年將糧食自給率從 40% 提高到 60%，而臺灣呢？

參、我們吃的食物安全嗎？

這些年，臺灣或其他國家每隔一段時間就會有食安相關的新聞又躍上媒體頭版，每每都讓大家震驚害怕。過去全球工業化的發展，幾乎所有國家都付出了承擔工業污染的代價，工業廢棄物被隨意掩埋或排放，污染了地下水及農業灌溉用水，臺灣過去曾經付出了極慘痛的代價，像 1982 年的鎘米事件，經調查得知主要的污染源是電鍍廠和塑膠穩定劑工廠排放的廢水污染了農田，但現在可能會因進口（或走私）中國農產品再度重蹈覆轍。

在中國的工業污染問題更是嚴重，2004 年湖南的化工廠非法煉鋼導致污染，直到有居民死亡，高達 500 人中毒，5 年後才成立專案小組調查。中國缺水問題嚴重，故以污水灌溉相當普遍，其中 60%-80% 來自工業廢水，造成土壤的重金屬及其他有毒物累積，這些都會透過食物鏈的生物放大作用回到人類身體並累積。中國的農產品污染問題，更不用說其農藥的含量安全問題，對於想依賴進口中國農產品的臺灣來說，實在是值得深思的問題。

殘留在農產品的農藥與抗生素也是消費者擔憂的另一個問題，臺灣自 1972 年起禁用近三十種可能致癌或導致畸形胎兒的農藥，但世界貿易組織與美國卻為了某些企業的利益強迫臺灣政府降低管制的標準。2007 年美國逼迫臺灣開放進口含微量瘦肉精的美國豬肉，2009 年臺灣再度屈服於美國政府壓力，開放美國帶骨牛肉、

牛雜、內臟、絞肉、牛脊髓等部位，這讓臺灣暴露在變種庫賈氏症（variant Creutzfeldt-Jakob Disease, vCJD）[1]的風險。

除了食物被有毒污染物污染之外，我們的食物來源還有什麼問題呢？2010 年入圍奧斯卡最佳記錄片：《美味代價》在全球播出以來，引發熱烈討論，大家開始思索「食物的自主權」這個問題，影片中揭露出全美最大的肉品供應企業，飼育家禽、家畜的方式是不衛生且不人道的，也導致各種細菌與病毒（例如：H5N1 病毒、大腸桿菌等）可能的污染，以及大量抗生素與生長激素的使用，這些都會危害消費者的健康。

為餵飽越來越多的人口，提高農產品的產量，基因改造作物已發展許久，基改作物是利用跨物種的人工基因轉殖技術，期望能產生高產量、抗蟲病害、抗旱甚至高營養成份的作物，但基改食品與作物的爭論也從未停歇，有越來越多學者提出基改作物可能的負面影響，包括對人體的健康可能的危害。常有人以「潘朵拉的盒子」來形容基改作物，例如作物中植入一段蘇力菌的基因，使基改作物分泌可以殺死鱗翅類及甲蟲類幼蟲的毒蛋白，達到抗蟲害的效果，但它可能會殺死原本不預期殺害的昆蟲，或培養出抗毒蛋白的「超級昆蟲」，這將嚴重的破壞生態平衡。

2007 年美國與加拿大許多地區蜜蜂消失了，導致蜂蜜產量下降之外，也造成許多由蜜蜂授粉的農作物的生產大受影響，科學家尋找可能的原因，推測可能與殺蟲劑、農藥、基改作物、電磁輻射、病毒或真菌、氣候變遷等有關，這些都與人類行為有關。

---

[1] 「狂牛症」（bovine spongiform encephalopathy, BSE），是因牛隻吃進別的染病動物的神經組織（如腦及脊髓）所感染，目前知道其病原是一種變性蛋白（prion）。而吃進這類染病動物組織的人類可能罹患變種庫賈氏症（variant Creutzfeldt-Jakob Disease, vCJD），導致失智，最後死亡。

肆、未來臺灣的糧食安全在哪裡？

前面已提過臺灣的糧食自給率偏低，但臺灣的現況是耕地與灌溉水源的不足，且大量的農地都在消失中，看看苗栗大埔農地事件、中科農地徵收問題（延伸閱讀[2]）。且臺灣的農民權益普遍被漠視且對未來無望，這讓從事農產品生產者的人數大大降低，這對臺灣的糧食安全都是非常危險的。未來全球的糧食危機恐怕仍持續會發生，隨著人口暴增、氣候異常、石油的供應不足導致運輸成本變高等等，情況似乎一點都不樂觀，若臺灣仍持續高度依賴進口糧食，繼續漠視本國農業，臺灣的處境將會非常艱困。

我們的政府與民間必須一起面對這樣的問題，彭明輝在《糧食危機關鍵報告：臺灣觀察》一書中提到的方向可供參考，包括：積極提高耕地使用率與單位面積生產量，節制並回收工業與民生用水，增加米食以取代小麥，增加漁產攝食，審慎評估人口總數。或許有人會有不同的見解，但都不能置身事外，因為這攸關我們每一個人與下一代的生活。

在許多的記錄片或書上都會討論到改變我們的個人行為，日本「生活俱樂部」提倡的一個人的消費行為只是個人偏好，影響不了社會，但一群消費者的集體行為，可以改變世界，其理念是減少生產、流通過程的資源浪費。《美味代價》書中提到「購買當地農產品」、「購買當季農產品」等，除了對本地農民有利外，也能降低食品運送所耗費的資源與成本，其實是非常簡單就可做到的，端看個人是否願意理解並實行。

---

[2] 朱淑娟（獨立記者）。環境報導【部落格文字資料】。取自 http://shuchuan7.blogspot.tw/。

討論題綱

（一）面對臺灣的糧食安全問題，你覺得政府的政策應該朝哪些方向進行？

（二）面對全世界糧食安全問題，你個人覺得自己的行為應該做哪些改變？

＊參考資料

彭明輝（2011）。《糧食危機關鍵報告：臺灣觀察》。臺北：商周出版。

葉家興等（譯）（2009）。《糧食戰爭》（原作者：拉吉・帕特爾）。臺北：高寶出版。

鄧子衿（譯）（2012）。《雜食者的兩難：速食、有機和野生食物的自然史》（原作者：麥可・波倫）。臺北：大家出版。

顧淑馨等（譯）（2012）。《美味代價》（原作者：卡爾・韋伯編輯）。臺北：繁星出版。

Robert Kenner（導演）（2008）。《美味代價》。美國：Participant Media。

課後心得

課後心得

第十章

新興傳染病的發生與省思

吳正男

學習重點

1. 探討新興傳染病發生的成因。

2. 省思公眾安全與個人自由之衝突。

3. 正視新興傳染病發生之必然性與應對態度。

壹、隱形風暴

　　2003 年 3 月一場無聲無息的風暴，悄然在臺灣的社區與醫院中同步蔓延，當大多數人仍慶幸自 2002 年底在中國大陸、香港與世界各地廣泛流行的嚴重急性呼吸道症候群（SARS）尚未在臺灣發生，殊不知病毒早已透過便捷的空中交通滲透進入臺灣，並在短短 4 個月內造成 73 人死於該傳染病，更破天荒的造成臺北市立和平醫院因爆發院內感染而封院的首次案例。1998 年 4 月突然發生的腸病毒 71 型疫情席捲全臺，並造成數十萬人感染，重症病例 405 人，更有 78 位以上孩童因而致死，這突發的疫情嚴重衝擊為人父母者，紛紛陷入小孩是否會遭受感染的恐懼中，隨著該年冬季的來臨天氣逐步轉冷，此波腸病毒疫情才得以控制。然而腸病毒消失了嗎？答案顯然是否定的，直至今日每年只要一到春夏之際，腸病毒疫情即蠢蠢欲動，不斷造成小學與幼兒園所停課與社會的不安。

　　人類長期以來不斷遭受傳染病的威脅，14 世紀由鼠疫桿菌（*Yersinia pestis*）所引發的黑死病即造成歐洲三分之一人口死亡，並在 19 世紀末再次肆虐，因此促使了「第一次衛生革命」的進行。1928 年蘇格蘭生物化學家弗萊明，因為一只忘了清洗的細菌培養皿中長出了黴菌，發現青黴素具有抗菌的效果，而改善了細菌對人類的威脅，因此近年來人類已不太容易出現大規模因細菌感染而死亡的案例。然而在抗生素被大量應用的現代，2008 年印度一位住院病人身上，突然分離出帶有 NDM-1（New Delhi metallo-beta-lactamase 1

Enterobacteriaceae）之超級細菌（又稱多重抗藥性腸道菌），可對抗大多數的抗生素，很快的臺灣在 2010 年也出現境外移入案例。18 世紀初英國發生天花大流行，倫敦當地約十分之一患者死於天花。金納博士透過觀察並歷經幾十年深入研究後發現牛痘疫苗可預防天花，並在自己兒子身上試驗成功，還因此促使天花病毒成為第一個被人類完全撲滅的傳染病。

　　隨著抗生素與疫苗的發展，人類似乎已找到解決傳染病對人類造成威脅的鑰匙，但真是如此嗎？1976 年薩伊共和國一位中年教師因高燒被診斷為疑似瘧疾感染並接受奎寧治療，然而 1 週後卻突然惡化並開始自口、鼻、腸道等多處出血，病程歷經 2 週即過世，研究人員自患者體內分離出未曾在人類發生的全新病毒「伊波拉」。由於該國為了商業發展並進行叢林開墾而捲起塵埃中的病毒，終於在同年爆發首次伊波拉流行疫情，最後由於病毒潛伏期短並快速造成病人死亡等等對擴散不利的因素，因此在嚴格的感染管控下消彌了該波疫情，但已造成 603 個案例感染與 431 人死亡。自此非洲部分國家每隔數年即會再現伊波拉疫情至今未曾間斷。1980 年美國多位年輕同性戀患者被診斷出通常只在年邁者身上才會發生的卡波西氏肉瘤，同時觀察到其體內 T 淋巴細胞大量減少，導致免疫系統功能的低下與缺乏，1983 年第一個人類免疫缺乏病毒（HIV）由這類患者體內被分離出來。由於 HIV 病毒感染初期只會出現輕微類似感冒之病癥且潛伏期高達數年，造成許多患者被病毒感染而不自知，外加空中交通的便利與頻繁往來，很快地在短短 30 年間已造成全球超過 3,500 萬人的感染，並以每年新增 200 萬人左右的數字增加，其中約 160 萬人因感染而死亡，愛滋病已被喻為 21 世紀的黑死病。

　　1918 年第一次世界大戰期間，當各強權國家仍積極為資源掠奪而征伐時，流行性感冒病毒也藉由軍隊的移動快速由歐洲擴散到全球各地，據估計該次疫情共造成全球約 20 億人感染與近 4 千萬人死亡，遠遠大於因戰爭而死亡的人數，該次流行已確認為流感病

毒 H1N1（西班牙株）跨物種傳播所造成。1997 年香港一名因流感而死亡 3 歲男童體內檢測出全球首次禽流感病毒 H5N1 感染人的案例；2011 年美洲爆發人類感染豬流感 H1N1 之疫情，由於疫病發生初期的高致死率與傳播能力，剎那間造成全球對疫情的極度緊張與恐慌，深怕 1918 年流感病毒西班牙株所造成的全球毀滅型災難再次重演。

貳、新現與再現傳染病

　　為何在人們已掌握抑制傳染病發生武器──「衛生條件」、「抗生素」與「疫苗」的現代，我們還是不斷飽受傳染病的威脅與危害呢？能夠造成人類大規模流行並造成死亡的感染源主要包括細菌與病毒兩大類，由於這些微生物的個體細小基因也相對簡單，在基因體發生突變或重組時，容易造成生物特性的劇烈變化。在生存環境壓力的選擇下（例如抗生素），加快演化速度而孳生毒力更高或抗藥性更強的微生物，甚至突破病原跨宿主障礙（cross species barrier）讓原本只能感染某單一非人類物種的病毒轉變為也可感染人類成為「新興傳染病」。當病毒初次發生跨物種傳播至人類時，由於大多數人都未曾接觸過該病毒，體內皆不存在保護性抗體的狀況下，常使疫情一觸即發，尤其是可透過飛沫傳播的病毒更加速病毒的大規模流行，例如 1918 年發生的流行性感冒疫情與 2003 年發生的 SARS 疫情即為最佳例證。這也正是為何近年來每當禽流感單一個案發生時，皆會觸動各國衛生環衛系統之敏感神經而強烈關注的原因。

　　那麼細菌或病毒要突變到哪一種程度才會被稱為新興傳染病呢？「新興傳染病」可細分為兩大類分別為新現傳染病（emerging infectious diseases, EIDs）及再現傳染病（re-emerging infectious diseases, REIDs）。當病原微生物發生變異，如果這種變異造成人類無法以原本的治療與管控手法予以掌控，且在人群中發生率增加及地

理分佈上有擴張的趨勢，該傳染病即被定義為新現傳染病；再現傳染病則是指「在某特定地區過去曾經發生的傳染病已被控制或根除，但再度發生流行的傳染病」。1973 年至今，國際已發佈三十多種新興傳染病，而臺灣則曾經發生過由病毒所造成的 HIV、漢他病毒、SARS、新型流感與由細菌所造成的抗萬古黴素的金黃色葡萄球菌、O157 型大腸桿菌感染症、類鼻疽、炭疽病、萊姆病、及鉤端螺旋體病、抗藥性結核病等傳染病。新興傳染病的發生可歸納為數個原因：

一、生態變遷與農業開發：地球的暖化改變許多生物的棲息地，外加人類對地球資源的過度利用，模糊了人類與自然界其它物種的生存空間界限，導致原本只感染動物的病原菌伺機進入人體。

二、人類行為與人口特徵的改變：由於性行為的開放與多元性別價值觀的變化，造成部分病原菌可輕易透過不同管道侵入人體。

三、國際旅遊與貿易頻繁：空中交通的便利性縮短了世界距離，隨著旅遊與人口遷移的快速增加，也加速了病原的傳播速度。

四、科學技術與工商企業的發展：基因重組技術開啟了人類操控生命本質的能力，也改變環境對突變物種的自然選擇機制，外加生技產業的發展，加速基因重組後物種的流通率，但當實驗室或產業中抗藥性基因或危害性病原菌因廢棄物或廢水外洩時，將引發嚴重的污染問題，例如常可自醫院外部的土壤中分離出帶抗藥性的細菌。

五、微生物的適應與改變：當微生物突變而初次發生跨物種傳播時，通常因為人類非原生宿主而無法快速繁殖或因致病力太強造成人類快速死亡而被公衛系統阻斷其傳播行為。但有些病毒由於存在准種特性（quasispecies）導致病毒族群裡可能存有多樣性的突變後亞種，當少數較適應人類的亞種在新生存環境的篩選下成為優勢病毒株後，即開始在人類族群中快速流行。

六、公共衛生措施的瓦解與設施缺乏：隨著開發中國家經濟興起與
　　資本集中，造成貧富差距愈趨明顯與對立。而傳染病的嚴重流
　　行卻多發生在教育、經濟水準較低落之處。但傳染病卻無國界
　　與貧富之分，一旦某個地區有新興傳染病疫情，很可能在短時
　　間內即成為全球的疫情。

參、新興傳染病的因應

在防治新興傳染病的策略主要包括：（一）疫情監視：我國依
據傳染病之致死率、發生率及傳播速度等危害風險程度高低，將傳
染病分為五類如下：

表 1　法定傳染病之分類

法定傳染病	定義	微生物群
第一類	相對高度危害風險者	天花、鼠疫、嚴重急性呼吸道症候群、狂犬病等4種傳染病。
第二類	相對中度危害風險者	白喉、傷寒、登革熱、流行性腦脊髓膜炎、副傷寒、小兒麻痺症、桿菌性痢疾、阿米巴性痢疾、瘧疾、麻疹、急性病毒性A型肝炎、腸道出血性大腸桿菌感染症、漢他病毒症候群、霍亂、德國麻疹、多重抗藥性結核病、屈公病、西尼羅熱、流行性斑疹傷寒、炭疽病等20種傳染病。
第三類	相對低度危害風險者	百日咳、破傷風、日本腦炎、結核病（除多重抗藥性結核病外）、先天性德國麻疹症候群、急性病毒性肝炎（除A型外）、流行性腮腺炎、退伍軍人病、侵襲性b型嗜血桿菌感染症、梅毒、淋病、新生兒破傷風、腸病毒感染併發重症、人類免疫缺乏病毒感染、漢生病等15種傳染病。

續（表1）

法定傳染病	定義	微生物群
第四類	前三類外，經中央主管機關認有監視疫情發生或施行防治必要之已知傳染病或症候群	疱疹B病毒感染症、鉤端螺旋體病、類鼻疽、肉毒桿菌中毒、侵襲性肺炎鏈球菌感染症、Q熱、地方性斑疹傷寒、萊姆病、兔熱病、恙蟲病、水痘併發症、弓形蟲感染症、流感併發症、庫賈氏病、布氏桿菌病等15種傳染病。
第五類	前四類外，國內尚未發生之傳染病，但經中央主管機關認定其傳染流行可能對國民健康造成影響，有建立防治對策或準備計畫之新興傳染病或症候群	裂谷熱、馬堡病毒出血熱、黃熱病、伊波拉病毒出血熱、拉薩熱、中東呼吸症候群冠狀病毒感染症、新型A型流感等7種傳染病。

　　為避免傳染病發生時造成大規模的流行與危害，《傳染病防治法》訂有通報義務，其中 (1) 報告義務人：醫師、法醫師及其他醫事人員等專業人員。(2) 通知義務人：民眾、家人或各單位管理人在發現疑似傳染病病人或其屍體時，應於 24 小時內通知當地主管機關。（二）危機管理：在傳染病發生時，結合相關領域專家進行疾病的偵測與調查，並具體提出有效的防治方法供社會大眾依循。

　　2003 年 SARS 危害臺灣期間，可觀察到雖然國家訂有相關的法令與方針，但在爆發新興傳染病流行時，仍面臨中央與地方權責分工不清，防疫指揮與管理不一的情況。由於新興傳染病對公共衛生系統來說，每次發生皆是一個全新的挑戰，但在疫病發生期間，因為維護公眾安全所採取的防疫措施對部分人造成的不公、傷害與損失，事後國家與社會是否給予適當的救濟與補償。另外在國內不斷發生雞隻流感疫情的狀況下，是否真有主管機構因美化數據而刻意隱匿疫情嚴重性，就如李惠仁在《不能戳的秘密》紀錄片中所指禽流感已經臺灣化等問題。

討論題綱

對於禽流感問題，李惠仁所執導《不能戳的秘密》描述 2006-2011 年間在臺灣鄉間家禽業所發生之禽流感疫情，因產官學界的諸多問題，造成疫情似乎更加擴散，看完此調查報導式紀錄片，您對下列議題的看法為何？

（一）何謂禽流感？各國對於禽流感為何都戒慎恐懼？

（二）近年來畜牧禽業對藥物、疫苗、激素等用品的依賴性激增原因為何？

（三）為何農民願意自行承擔疫病損失而不願通報主管機關？

（四）紀錄片裡的查證手法是否合理，是否違反媒體或傳染病防治原則？

（五）產官學界在此事件中是否失職？

＊參考資料

朱賢哲（導演）（2007）。《穿越和平》。臺北：財團法人公共電視文化事業基金會。

李惠仁（導演）（2011）。《不能戳的秘密》。臺北：同喜文化。

課後心得

課後心得

第十一章

當代醫學——
順天應人的自然醫學

賴靜瑩

學習重點

1. 探究疾病真正成因。
2. 探討傳統醫學與自然醫學之治療模式。
3. 正視情緒與疾病之關聯。

> 要預防疾病上身，不能光靠養生而已，在照顧身體的同時，更要注意情緒的影響，假如你不懂得如何面對並處理自己的情緒，甚至逃避、壓抑，日積月累，最後情緒就會以「症狀」甚至「疾病」的型態爆發出來，最後變成慢性病，一輩子纏著你！（自然醫學專家　黃鼎殷醫師）

當代的醫學技術突飛猛進，對於醫藥的研發也日新月異，然而，我們國人目前的十大死因當中，慢性疾病的比例卻節節攀升，各類癌症的發生與死亡率，並沒有因醫學的進展而減緩，它們仍舊以驚人的速度成長著，醫療科技的進步與疾病的療癒，這兩者的關聯性究竟出了什麼問題？

你可能曾經聽聞，在我們周遭的朋友中，有些人似乎沒什麼不良習慣，也有些人甚至還頗為養生，但是這些人卻被惡病纏身？有些人每天抽菸，到其終老也沒得過肺病，反而有些人沒有抽過菸，卻突然發現自己罹患肺癌，目前當道的傳統醫學（西方醫學）可能將之推究於個人體質、生活習慣或是家族遺傳等問題，但是仍舊找不到真正的解決之道，難道對於這些疾病就真的束手無策？然而，自然醫學專家黃鼎殷醫師說：事實上，我們體內的毒素與情緒，與我們身體的疾病症狀不僅密切相關，甚至還可說，大部分的慢性化疾病，都是由「情緒」所造成的！

壹、疾病源自於體內穢物的累積

我們先從身體運作談起，大家應該都知道，人體就像個大工廠般每天不斷地製造新的細胞，以取代老化或受損的細胞，也就是說，我們全身的組織與器官，時時刻刻不斷在進行著「修復」與「再生」的過程，估計每天平均有2%（1兆2千億）的細胞會再生汰換，人體的60兆個細胞，大約7年就幾乎已全部更新，但是倘若毒素長期累積在身體裡，導致身體原本具有的「毒出能入」功能出了問題，即使新生的細胞也難逃毒害，疾病當然就難以治癒。

其實身體原本就具有非常強大的自我療癒與修復系統，但是目前傳統醫學所使用的方法，大多是想藉由藥物取代身體免疫系統的方式，幫助身體打敗致病源，一旦這樣的治療方式成為身體面對疾病的常態，加上體內穢物毒素的累積，原本保護身體的免疫與排毒功能就會逐漸喪失，疾病症狀當然就無法遠離你。其實，在當代醫學界累積了無數的臨床經驗顯示：刺激及身體啟動自我療癒的機制，或是輔助身體自我修復的功能，遠勝過投以任何的藥物，這也是當代醫學的覺醒，也就是以順應大自然為身體設下的法則與系統來進行治療，這就是當代與未來醫學的主流──自然醫學。當醫師能夠仰賴病人本身的自我療癒與修復系統，那麼病人從疾病當中痊癒的機率也就越大，也就是說，其實，身體本身就是全世界最好的醫院。

《黃帝內經》是中醫學非常重要的典籍之一，此學說視宇宙為一個整體，並且主張人要活在天、人、地三才的整體感中，以頂天立地來做人處世；其中並探討四時春、夏、秋、冬對於人體的影響，以五行（木、火、土、金、水）來說明臟腑相剋，以六氣（風、寒、暑、濕、熱、燥）與六經（太陽、陽明、少陽、太陰、少陰、厥陰）來說明人體經絡中能量的運轉與變化，並探討七情（喜、怒、憂、思、悲、恐、驚）與五臟的關係，以八綱辯證（陰陽、寒

熱、表裡、虛實）來診斷病症，這些醫學理無不強調人類的身體、情緒及宇宙息息相關、並且相生相息。

中國醫聖張仲景承續《黃帝內經》，在醫理、醫法、醫方、醫藥上，總結他治病的經驗，寫成《傷寒雜病論》，在其中，他將人類的器官分為六個經絡類別，並且將疾病分為六個進展，他發現人類疾病的根源，都是源自於外來的毒或寒入侵人體，並且從表到裏、由淺到深的累積所導致，他的治病妙方，即是將這些累積體內的毒素藉由身體的排毒功能一一將之排除，當身體的自我療癒功能恢復，身體自然就會回復健康的狀態。

然而現代人的疾病與古代有所差異，現今人類的體質已經與以往不同，而現代人的體質之所以會出現問題，主要在於懶（懶於進行自我健康管理）、毒（身體多餘的或不需要的部分）、酸（體內細胞充氧量不足所致）、缺（營養不足或不均衡）四大因素，身體也會因為這四大因素的程度不同，分別會形成酸性體質、黏液體質（過敏體質）、虛寒體質與重症體質等幾大類，這些體質問題，也都是因為累積在體內的廢物（毒）過多所衍生的不同程度的疾病，因此若能夠將這些累積的穢物排除，身體就能夠順應宇宙設計的機制運行而鮮少有大礙，這也是《黃帝內經》與《傷寒雜病論》中的治療良方。

貳、以自我療癒方法取代西方傳統醫學—— 幹細胞將成為未來醫學主流

西方傳統醫學通常是以手術或藥物來治療疾病，但自然醫學則採用身體自療自癒的方式來協助身體的復原。當代的自然醫學也拜生物科技的發展，而演進至以身體原來即具有的幹細胞來做為身體自療的輔助工具。

　　幹細胞是身體最原始的細胞，當受精卵形成的那一刻起，身體第一個幹細胞於是產生，此幹細胞稱之為全能性幹細胞，此時胎兒在母親體內不斷地發育，幹細胞也在此過程中分化成萬能幹細胞與多功能性幹細胞等，這些幹細胞本身具備自我複製與分化的功能，簡單的來說，幹細胞本身可以不斷地分裂成另一個與之相同的幹細胞，另一方面，幹細胞也可以分化成人體各組織、血液、器官等身體所需要的任何細胞。

　　當醫學界重新檢視幹細胞在醫學上的用途時，發現幹細胞的確是身體驚人療癒能力的主事者，所以在 1、20 年前，科學家與醫學界們就開始嘗試使用幹細胞來協助治療人體的病痛，但是此幹細胞並不是僅侷限存於某些器官或組織內，根據研究發現顯示，人體的血液中其實也含有少量的幹細胞，它們就像是人體的糾察隊成員，不斷地藉由體液循環巡視著身體各部位的狀況，一旦遇到身體受損部位，此時幹細胞就會立即轉變分化成該處所需要的細胞，以替代該處受損或老化的細胞，使得該部位的功能能夠繼續正常地運作。但是這些幹細胞會隨著人體的老化，它們存在於血液中的含量也會逐漸降低，因此當人類的年紀越長，身體修復的功能也就會開始衰退。

　　然而拜尖端的科技所賜，科學家們目前已經能夠將人體體液內極少量的幹細胞分離，進而令其在實驗室中大量複製繁殖，並且再將其置入人體體內，如此一來，體內的幹細胞將會大增，這些幹細胞就會自動啟動修復與再生功能，人體內那些受損或老化的組織器官，也就能夠即時地被調整與修復，使其回復原本具有的功能。這種幹細胞治療，即是藉由宇宙原本在人體的精密設計，再度協助身體回復健康，這類的療法預期將成為當代與未來的醫學領域中順天應人的最佳療癒方式。

參、情緒是疾病背後的重要因素

身體產生疾病的另外一個重要因素，則是來自於「情緒毒」，有些人努力的防毒、排毒，但仍舊是惡病纏身，其背後的真正因素正是我們一直忽略且積壓的情緒毒，這些情緒毒在體內越積越多，最後就會以「症狀」甚至「疾病」的型態爆發。

根據自然醫學專家黃鼎殷醫師在十幾年的臨床經驗中發現：事實上，情緒對身體的影響，是沿著情緒 → 經絡 → 器官 → 疾病的順序，逐漸由正常的情緒反應，變成一發不可收拾的嚴重疾病。美國著名的精神科醫師暨心理學家大衛‧霍金斯博士（Dr. David R. Hawkins），他也運用人體「肌肉動力學」的基本原理，經過 20 年長期的臨床研究發現：人的身體會隨著精神狀況而有強弱的起伏。也就是說，我們內在的情緒可以改變身體中粒子的振動頻率，進而影響身體的健康。

除了西方醫學證實情緒會影響身體的健康之外，中醫其實在更早之前就有了極深入的研究，例如中國醫典《黃帝內經》就明白的記載說明著人的七情（喜、怒、憂、思、悲、恐、驚）會影響人體的五臟運行，在中國的醫學中也認為人體是一個有機整體，在結構上不可分割，在功能、病理上更是會互相影響；在《素問‧陰陽應像大論》中，更是直接點出情緒對臟腑的影響為：怒傷肝、喜傷心、思傷脾、憂悲傷肺，以及驚恐傷腎。因此，要身體健康，人類所有的生命形態都有其重要關聯性，唯有同時正視情緒的影響，人類才能真正獲得身心靈的全面健康。

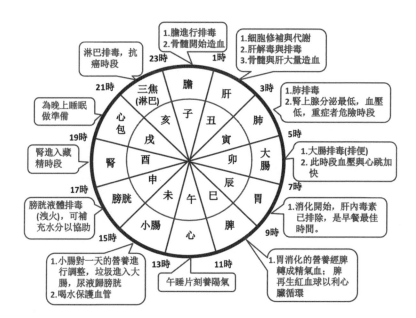

圖1　身體機能的運作與大自然的運行密不可分，當我們能夠掌握並且配合
　　　天地運行之法則，自然就能達到身心靈全面健康的狀態

＊部分文字摘自

黃鼎殷（2012）。《你的身體是全世界最好的醫院》。臺中：豐兆乾有限公司。

黃鼎殷（2012）。《黃鼎殷醫師：15天抗癌計畫——第一本破解身心靈密碼的抗
　　　癌手冊》。臺北：新自然主義。

黃鼎殷（2015）。《情緒生病，身體當然好不了：黃鼎殷醫師的心靈對話處方》。
　　　臺北：新自然主義。

＊衍伸閱讀

陳玲瓏（譯）（2000）。《自癒力——痊癒之鑰在自己》（原作者：Andrew Weil, M.
　　　D.）。臺北：遠流出版社。

戴比・沙皮爾（2007）。《身體密碼》。臺北：采竹文化。

課後心得

課後心得